Eine Bildreise

Schönes Hamburg

Beautiful Hamburg
Hambourg, la Belle
Anna Brenken
Urs Kluyver
Ellert & Richter Verlag

Impressum/Autoren/Authors/Auteurs

Anna Brenken, geb. 1939 in Essen, lebt und arbeitet seit 20 Jahren in Hamburg als freie Journalistin und Mitarbeiterin an mehreren Magazinen, Tages- und Wochenzeitschriften. Ihre Arbeitsbereiche sind: Bildende Kunst, Literatur und Theater. Im Ellert & Richter Verlag sind ihre Bücher erschienen: „Künstlerdorf Worpswede", „Hamburg – Spaziergänge" und „Dresden".
Urs Kluyver, geb. 1943 in Rotterdam, Studium an der Folkwang-schule in Essen bei Prof. Otto Steinert; lebt seit 1969 in Hamburg und arbeitet als freier Fotojournalist für verschiedene deutsche und inter-nationale Magazine; Mitglied der Focus-Bildagentur. Im Ellert & Richter Verlag erschien sein Buch „Harvestehude und Eppendorf".

Anna Brenken was born in Essen in 1939. She lives in Hamburg and has worked in the city for 20 years as a freelance journalist and writer for a number of magazines, daily and weekly newspapers. The arts, literature and stage are her specialities. Books of hers published by Ellert & Richter include "Künstlerdorf Worpswede", "Hamburg – Spaziergänge" and "Dresden".
Urs Kluyver was born in Rotterdam in 1943. He studied under Professor Otto Steinert at the Folkwangschule in Essen, has lived in Hamburg since 1969 and works as a freelance photographer for a number of German and international magazines. He is a member of the Focus photo agency. His book "Harvestehude und Eppendorf" was also published by Ellert & Richter Verlag.

Anna Brenken, née en 1939 à Essen, vit et travaille depuis 20 ans à Hambourg en tant que journaliste free-lance et collaboratrice de plusieurs magazines, quotidiens et hebdomadaires. Les arts plastiques, la littérature, le théâtre font partie de ses secteurs d'activité. Ses livres «Künstlerdorf Worpswede», «Hamburg – Spaziergänge» et «Dresden» sont parus à la maison d'édition Ellert & Richter.
Urs Kluyver est né en 1943 à Rotterdam et a fait ses études à la Folkwangschule à Essen auprès du Professeur Otto Steinert. Il vit depuis 1969 à Hambourg et travaille comme journaliste free-lance pour différents magazines allemands et internationaux. Il est membre de l'Agence Focus. Son livre «Harvestehude et Eppendorf» est paru à la maison d'édition Ellert & Richter.

Text und Bildlegenden/Text and captions/Texte et légendes:
Anna Brenken, Hamburg
Fotos/Photos/Photographie: Urs Kluyver, Hamburg
Übertragung ins Englische/English Translation/Traduction Anglaise:
Paul Bewicke, Hamburg
Übertragung ins Französische/French Translation/Traduction
Française: Michèle Schönfeldt, Hamburg
Karte/Map/Carte Géographique: DuMont Buchverlag
GmbH & Co., Köln
Lektorat/Editor/Lectorat: Dorothee v. Kügelgen, Hamburg
Gestaltung/Design/Maquette: Hartmut Brückner, Bremen
Satz/Setting/Composition: O & S Satzteam, Hildesheim
Lithographie/Lithography/Lithographie: Litho Service Bremen GmbH
Druck/Print/Impression: Druckerei C. H. Wäser, Bad Segeberg
Bindung/Binding/Reliure: Buchbinderei Büge, Celle

Die Deutsche Bibliothek – CIP-Einheitsaufnahme

Schönes Hamburg = Beautiful Hamburg
Anna Brenken; Urs Kluyver. –
Hamburg: Ellert und Richter, 1992
(Eine Bildreise)
ISBN 3-89234-293-8
NE: Brenken, Anna; Kluyver, Urs; PT

Inhalt/Contents/Sommaire

Die hier wohnen, wissen, daß sie in einer der schönsten Städte der Erde leben. Nur laut sagen sie es nicht und weitersagen sie es schon gar nicht. Die Arroganz der Reichen und das Understatement des Protestantismus verabscheuen den Angeber. Hamburg besingen am besten die Zugereisten.

Es riecht nach Meer in der Stadt? Ein bißchen schon. Denn meistens weht der Wind von Westen. Doch daß die Menschen in Hamburg morgens mal eben im Meer baden können, gehört in die Vorstellung, die sich Bayern, Berliner oder Amerikaner gern von dieser Stadt am Wasser machen. Bis zur Nordsee sind es noch etwa hundert Kilometer. Wer sich von der Elbmündung mit der Flut und gegen die Ebbe (Gezeitenunterschied bei den St. Pauli Landungsbrücken: 3,40 Meter) per Schiff nach Hamburg tragen läßt, nähert sich der Schönen — der Freien und Hansestadt — auf die angemessenste Art und Weise.

Die Fortbewegung auf dem Wasser gilt an Alster und Elbe, wo noch immer viel von dem großen Reichtum der Kaufleute auf dem Wasser schwimmt, traditionell als vornehmste Art des Fortkommens. Schöner als Fliegen, Auto Fahren, Radfahren oder Zufußgehen.

Die Annäherung elbaufwärts hat ozeanisches Flair. Die Kontraste sind groß. Naturgeschützte Inseleinsamkeit alter Sandbänke (Pagensand, Lühesand, Schweinesand) gegen neue Industriekulisse bei Brunsbüttel und Stade; wolkenkratzergewaltige Containerschiffe und Tanker gegen Jollen, Segel-Oldtimer und andere Lustboote; endlos flaches Ufer im Süden gegen die überraschende Hinterlassenschaft der Eiszeit am Nordufer — die Kette der Endmoränen, wo man heute so exklusiv wohnt wie sonst nur noch am Ufer der Alster.

Wer ungewöhnliche Anreisewege liebt, kann sich auch auf der Wasserstraße von Osten her einschiffen. Von Prag, Dresden oder Berlin nach Hamburg. Das ist eine Fahrt mit viel langer Weile auf Moldau, Havel und Elbe. Oder er kann sich im Norden an der Oberalster ins Boot setzen und mit eigener Kraft bis ins Herz der Hansestadt, zum Jungfernstieg, paddeln. Das ist ein bißchen unorthodox, aber sehr romantisch.

Doch auch wer die ganz normalen Wege nimmt, Schiene oder Straße, erlebt eine großartige Ouvertüre, eine Ankunft aufs schönste. Manche Hanseaten kriegen schon Heimweh, wenn sie auf diesen Wegen die Stadtgrenze nicht mal hinter sich gelassen haben. Und schwören sich bei der Rückkehr heimlich — wenn das Herz hochschlägt beim Wiedersehen mit Hamburgs berühmter Turmsilhouette von Telemichel, Michel, Rathaus, St. Nikolai-, St. Petri-, St. Jakobi-, St. Katharinenkirche — diese, ihre Heimatstadt, nie zu verlassen. Denn wer an Elbe und Alster aufwächst, läßt sich zwar gern mal den Wind in aller Welt um die Nase wehen, will aber auf jeden Fall da alt werden, wo er jung war.

Der Fremde staunt gelassener, wenn sich rechts und links der Autobahn plötzlich Container-Gebirge in Rot, Grün, Blau auftürmen. Da signalisiert der Kirchturm von Altenwerder: hier stand einmal ein Dorf. Es verschwand unter dem giftigen Schlick, der regelmäßig aus den Hafenbecken ausgebaggert werden muß. Die Spülfelder von Altenwerder wären heute weltberühmt, wenn der weltberühmte Künstler Joseph Beuys auf eben diesen Spülfeldern Anfang der achtziger Jahre seine letzte Pflanzaktion hätte durchführen dürfen. Eine Kunstaktion, die der Bürgermeister damals nach schlechter hanseatischer Tradition — die gibt es durchaus auch — als Unsinn abstempelte.

Ein Riesenkunstwerk sondergleichen ist auf jeden Fall der Hafen, durch den die Anreise per Schiene oder Straße geht. Vor Hamburg trennt sich die Elbe in Süder- und Norderelbe. Siebzig Hafenbecken für See- und Flußschiffe liegen in dem Terrain, das von der Flußschleife umschlungen wird und ein Siebtel der Gesamtfläche der Hansestadt ausmacht. Vier große Wege führen durch diese Drehscheibe des Handels, Deutschlands größtem Seehafen: der neue Elbtunnel, drei Kilometer lang, 1974 eingeweiht; der alte Elbtunnel von 1907–1911, damals ein technisches Wunder; die Elbbrücke, deren Grundstein 1883 gelegt wurde, und die noch fünfzehn Jahre ältere Eisenbahnbrücke. Der schönste Brückenschlag im Hafen stammt von 1974. Seit diesem Jahr steht die Köhlbrandbrücke als elegante Schleife vor dem tiefen Himmel. 54 Meter hoch, an zwei schlanken 135 Meter hohen Pylonen aufgehängt, ist das eiserne Ingenieurkunstwerk von weither zu sehen. Ein neues, sehr modernes Wahrzeichen der Stadt.

Those who live here know that they live in one of the world's most beautiful cities. But they don't say so aloud and they definitely don't tell others. The braggart is abhorred by the arrogance of the rich and by the understatement of Protestantism. Hamburg's praises are best sung by newcomers to the city.

Is there a whiff of sea air about the city? Just a little. A west wind is usually blowing. But only Bavarians, Berliners or Americans have visions of Hamburg as a city by the water where people can take a morning dip in the sea. The North Sea is 100 km (60 miles) away. Yet the most fitting way to approach the Free and Hanseatic belle is by ship, upstream with the tide from the Elbe estuary; high and low tide are 3.40 metres (11 ft 2 in) apart at St Pauli, Hamburg.

On the Alster and the Elbe, where much of the rich businessmen's assets still sails the seven seas, waterborne transport has traditionally been regarded as the elegant mode of transport. It is felt to be far superior to flying, motoring, cycling or going on foot.

The approach to city as you sail up the Elbe has the flair of the ocean waves. Contrasts are striking. Sandbanks of old such as Pagensand, Lühesand and Schweinesand are lone islands classified as nature reserves set against industrial backdrops near Brunsbüttel and Stade. Containerships and tankers as tall as skyscrapers are seen alongside yachts, oldtimers under sail and other pleasure craft. Endless expanses of flat landscape to the south contrast with the striking legacy of the Ice Age on the north bank — a continuous marginal line of moraines, or debris left by a glacier, that are now a high-class residential area rivalled only by a place with a view of the Alster.

Lovers of unusual approach routes can sail in from the east, downstream to Hamburg from Prague, Dresden or Berlin on a slow boat along the Moldau, the Havel and the Elbe. Or they can take to the water on the Oberalster, to the north of the city, and paddle right into Jungfernstieg and the city centre. It may be a little unorthodox, but it is most romantic.

But even travellers who use conventional means of transport — road or rail — are welcomed by a magnificent overture, the finest of arrivals. Hamburg people have been known to feel homesick before they have even left the city by road or rail, and on their return they have vowed on the quiet, as their hearts miss a beat on seeing the city's skyline again, the TV tower and the spires of the Michel, the Rathaus, St Nikolai, St Petri, St Jakobi and St Katharinen, never to leave their native city again. Those who grow up on the Elbe and the Alster may like to see the world but are resolved to spend their old age where they spent their youth.

Visitors are surprised, if less emotionally involved, to suddenly see red, green and blue containers stacked on either side of the autobahn, followed by the church spire of Altenwerder, marking a village that once stood here but was cleared to make way for toxic sludge that is regularly dredged from the docks. The Altenwerder landfill would be world-famous today if the artist Joseph Beuys had been allowed to go ahead with his last afforestation campaign in the early 1980s. But it was an art happening that the mayor of the day, in keeping with a less than admirable Hanseatic tradition (yes, they too exist), dismissed as nonsense.

The Port of Hamburg is an incomparable work of art through which the road or rail traveller passes. Just before it reaches the city the Elbe splits into northern and southern arms. Seventy docks for seagoing and inland shipping line the area the arms of the Elbe encompass, covering a seventh of Hamburg's total surface area. Four major road and rail links cross this turntable of trade, Germany's largest seaport. They are the new Elbe Tunnel, 3 km (2 miles) long, opened in 1974, the old Elbe Tunnel, built between 1907 and 1911 and hailed at the time as a feat of engineering skill, the Elbe road bridge (its foundation stone was laid in 1883) and the rail bridge, which is 15 years older. But the finest bridge in the Port of Hamburg dates back to 1974 when the Köhlbrandbrücke spanned another arm of the river. Suspended at a height of 54 metres (177 ft) from two slender pylons towering 135 metres (443 ft) over the Port, the Köhlbrandbrücke is a feat of engineering that can be seen from afar. It is a new and modern hallmark of the city.

Ceux qui y habitent savent qu'ils vivent dans l'une des plus belles villes du monde. Ils s'abstiennent seulement de le dire à voix haute et se gardent bien de le divulguer. L'arrogance propre aux riches et la nature distante du protestantisme sont hostiles au hâbleur. C'est aux nouveaux venus qu'est laissé le soin de chanter les louanges de Hambourg.

La ville est empreinte d'une senteur marine? On ne peut le nier tout à fait. Car, la plupart du temps, le vent souffle de l'ouest. Mais que les habitants de Hambourg n'aient qu'un saut à faire pour se baigner en mer, le matin, c'est l'idée qu'aiment se faire les Bavarois, les Berlinois ou les Américains de cette ville entourée d'eau. Cent kilomètres la séparent de la Mer du Nord. Celui qui se laisse porter vers Hambourg au gré du flux et du reflux (l'amplitude de la marée atteint 3,40 mètres au débarcadère de St. Pauli), et remonte le fleuve en partant de son embouchure, aborde la Belle – la Ville Libre et Hanséatique – de façon on ne peut plus appropriée aux circonstances.

Au bord de l'Elbe et de l'Alster, là où flotte encore une partie appréciable de la grande fortune des négociants de la ville, se déplacer sur l'eau passe traditionnellement pour être le moyen de locomotion le plus distingué. Plus distingué que de prendre l'avion, rouler en voiture, à bicyclette ou d'aller à pied.

Aborder Hambourg en remontant l'Elbe est nimbé d'un charme tout océanique. Les contrastes sont accusés. La solitude des îlots que forment les vieux bancs de sable (Pagensand, Lühesand, Schweinesand), devenus entre-temps réserves naturelles, tranche sur la nouvelle toile de fond industrielle près de Brunsbüttel et de Stade; les porte-conteneurs aux allures de gratte-ciel, les pétroliers s'opposent aux yoles, aux vieux voiliers et autres bateaux de plaisance; les berges infiniment plates au sud contrastent avec les vestiges incongrus de la période glaciaire sur la rive nord, chaîne de moraines terminales et lieu de résidence sélect comme il n'en existe plus aujourd'hui de semblable que sur les bords de l'Alster.

Celui qui aime faire une entrée plus inusitée peut également emprunter la voie fluviale en partant de l'Est. Il peut s'embarquer à Prague, Dresde ou Berlin pour faire voile en direction de Hambourg. Ce voyage au cours lent et parfois ennuyeux le mène à travers la Moldau, l'Havel et l'Elbe. Mais il lui est aussi possible de monter dans une petite embarcation au nord de la ville, sur le cours supérieur de l'Alster et de pagayer, à la force du poignet, jusqu'au Jungfernstieg, au cœur de la Ville Hanséatique. C'est là un moyen de locomotion peu ordinaire, mais qui ne manque pas de romantisme.

Qui, toutefois, emprunte les voies tout à fait prosaïques que sont le rail et la route, a également droit à un accueil grandiose, à un prélude des plus remarquables. A peine certains habitants de Hambourg ont-ils, d'ailleurs, franchi les portes de la ville, qu'ils éprouvent déjà le mal du pays. Et

jurent en secret, au retour, lorsque leur cœur bat à grands coups en retrouvant la fameuse silhouette composée de la Tour de Télévision, du «Michel», de l'Hôtel de ville, de l'Eglise St. Nicolas, St. Pierre, St. Jacques et Ste Catherine, de ne plus jamais quitter leur ville natale. Car, celui qui a grandi sur les bords de l'Elbe et de l'Alster, aime certes voir du pays, mais il tient à tout prix à passer ses vieux jours là où s'écoula sa jeunesse.

L'étranger, lui, s'étonnera, sans s'émouvoir pour autant, à la vue des montagnes de conteneurs rouges, verts ou bleus, s'empilant à droite et à gauche de l'autoroute. Mais voilà qu'apparaît le clocher de l'église d'Altenwerder, rappelant qu'un village se trouvait autrefois à cet endroit. Celui-ci fut enseveli sous le limon toxique dont les bassins portuaires doivent être régulièrement dégagés. Les champs d'épandage d'Altenwerder seraient d'ailleurs connus dans le monde entier aujourd'hui, si le célèbre artiste Joseph Beuys avait pu réaliser son dernier projet de plantation sur ces mêmes champs, au début des années quatre-vingts: un happening culturel que le bourgmestre de la ville, s'en tenant à une mauvaise tradition hanséatique – qui n'est d'ailleurs pas sans exister, il faut bien l'avouer –, avait alors qualifiée d'inepte.

Le port, que le nouvel arrivant traverse lorsqu'il arrive par le train ou par la route, est, en tout cas, une œuvre d'art monumentale qui cherche sa pareille. A peu de distance de Hambourg, l'Elbe se scinde pour donner naissance à la Süderelbe et à la Norderelbe. Soixante-dix bassins portuaires destinés aux bâtiments de la navigation maritime et fluviale ont été aménagés sur cette surface enserrée par la boucle du fleuve, qui représente un septième de la superficie totale de la Ville Hanséatique. Quatre grandes voies transpercent cette plaque tournante du commerce qu'est le plus grand port de mer d'Allemagne: le nouveau tunnel sous l'Elbe, long de trois kilomètres, inauguré en 1974; l'ancien tunnel datant de 1907–1911, un miracle de la technique à l'époque, le Pont de l'Elbe, dont la première pierre fut posée en 1883, et, enfin, le pont du chemin de fer, de quinze ans son aîné. La plus belle construction enjambant l'Elbe dans le port, date de 1974. C'est depuis cette année-là, en effet, que le Köhlbrandbrücke dessine son élégante arabesque dans les profondeurs du ciel. Haut de 54 mètres, accroché à deux pylones élancés de 135 mètres de hauteur, cet ouvrage d'art magistral est visible de loin. Un nouvel emblème, fort moderne, de la ville.

Die Elbbrücken sind die wichtigste
Nord-Süd-Verbindung der Stadt. Sie
wurden in der zweiten Hälfte des 19.
Jahrhunderts geplant und gebaut.
Heute türmen sich dahinter wie ein
Gebirge die Schiffscontainer, ragen
vielerlei Hafenkräne in den Himmel
und begrüßen den Ankommenden
wie eh und je die alten und neuen
Hamburger Türme. In der Mitte des
Bildes die Türme von St. Nikolai
(links) und St. Katharinen.

The Elbe bridges, designed and built
in the second half of the 19th
century, are the city's main north-
south thoroughfare. Nowadays ship's
containers are stacked mountain-like
behind them, with harbour cranes
pointing sky-high to welcome new
arrivals much as spires and towers old
and new on Hamburg's skyline have
always done. The spires of St Nikolai,
left, and St Katharinen are seen in
mid-picture.

Les ponts de l'Elbe assurent la
principale liaison nord-sud de la
ville. Ils ont été mis à l'étude et
construits durant la deuxième moitié
du dix-neuvième siècle. Aujourd'hui,
les navires porte-conteneurs se
dressent derrière eux, tels un massif
montagneux, et les multiples grues
portuaires s'élèvent jusqu'aux nues
pour souhaiter la bienvenue au
nouvel arrivant comme l'ont fait, de
tout temps, les anciennes et nouvelles
tours de Hambourg. Au centre de la
vue, se détachent les clochers de
St. Nikolai (à gauche) et de St.
Katharinen.

Beim Navigieren des Containerschiffs ins Trockendock muß zentimetergenaue Präzisionsarbeit geleistet werden. Ein immer wieder spannendes Schauspiel, bei dem die Zuschauer an den Landungsbrücken (links) Logenplätze haben. Hinten ragen die Türme des Rathauses, der St. Petri- und St. Jacobikirche in den Himmel.

Precision navigation must be accurate to the centimetre as containerships are inched into dry dock. It is always an exciting spectacle with onlookers from the St Pauli landing stages, left, ideally positioned, as if they were sitting in a box at the theatre. The spires of the Rathaus and the churches of St Petri and St Jacobi can be seen in the background.

Manœuvrer un navire porte-conteneur dans le bassin de radoub, c'est là une opération qui requiert un travail de précision au centimètre près. Spectacle toujours aussi captivant dont les meilleures places, sont réservées au public qui y assiste depuis le Pont du Débarcadère (à gauche). Derrière, se dressent les tours de l'Hôtel de Ville et les clochers des églises St. Petri et St. Jacobi.

Kein Hamburgbesuch ohne Hafenrundfahrt. Die kleine Barkasse und
die „St. Pauli" kommen den Ozean-
riesen aus aller Welt so nah, daß die
Fahrgäste die Schweißnähte an
Steuerbord und Backbord und die
Spuren, die die sieben Weltmeere auf
der Außenhaut der Schiffe hinter-
lassen haben, studieren können.

No-one can possibly visit Hamburg
and not make a guided tour of the
harbour. The pint-sized tour launch
and the "St Pauli" come so close to
the big ocean-going ships that
passengers have a clear view of the
welding seams on the hull plating
and can study the marks made by the
seven seas on the ship's skin.

Pas de visite de Hambourg digne de
ce nom sans une visite du port. La
petite barcasse et le «St. Pauli»
s'approchent si près des paquebots
transatlantiques que leurs passagers
peuvent en examiner les soudures, à
bâbord et à tribord, ainsi que les
traces laissées par les sept mers du
globe sur la coque des bateaux.

Die Köhlbrandbrücke ist ein Stück
eiserne Ingenieurkunst. Die an zwei
schlanken, 135 Meter hohen Pylonen
aufgehängte Schleife dient seit 1974
dem Autoverkehr im Hafen. Fußgän-
ger durften die Brücke nur bei ihrer
Einweihung betreten; heute dient sie
ausschließlich dem Autoverkehr.

The Köhlbrandbrücke is a master
piece of engineering in iron. Suspended on two slender pylons 135 metres
(443 ft) high, the ribbon of high road
has served vehicular traffic in the Port
of Hamburg since 1974. Pedestrians
were allowed to use it when it was
inaugurated, but they aren't any
more.

Le pont Köhlbrand est un chef
d'œuvre de la technique. La boucle
suspendue à 135 m de hauteur sur
deux pylones élancés permet, depuis
1974, la circulation des voitures dans
le port. C'est seulement à l'occasion
de son inauguration que les piétons
furent autorisés à emprunter le pont;
l'accès leur en est aujourd'hui
interdit.

Typisch? Zwei Hamburger begegnen sich in den Alpen. „Und wie kommst du mit den Bergen zurecht?" – „Na ja, so eben und eben." Wenn ein Spaziergänger im Blankeneser Treppenviertel von einem heftigen Gewitterregen überrascht wird und sich unter einen Baum stellt, dann kann es passieren, daß nach einer Weile eine Frau aus einem der kleinen Häuser tritt und ihm einen Regenschirm bringt: „Hier. Damit Sie nicht so naß werden." Der Spaziergänger bedankt sich. „Da nicht für", sagt die Frau und geht wieder ins Haus zurück.

Ja. Das ist typisch hamburgisch. Hilfsbereit und freundlich. Aber das eigene Haus öffnen sie dem Fremden nicht so schnell. Und in den Bergen fehlt ihnen entschieden der weite Horizont und das Vertrauen in die Standfestigkeit. Am wohlsten fühlen sie sich daheim. Das Licht über der Alster! Die gepflegten Patrizierhäuser! Die guten Gaststätten und Restaurants! Das dezente Savoir-vivre in einer Millionenstadt, wo mehr Geld verdient wird als anderswo! Doch mit Liebeserklärungen gehen die Hanseaten sparsam um. Nur an dem Eifer, mit dem sie dem Fremden ihre Stadt erklären, verrät sich ihr Gefühl.

Hafenrundfahrt muß sein! Na klar. Und dann ein Rundgang durch die Stadt. Doch der Begriff „Stadt" ist wie bei jeder Metropole auch hier nur schwer zu definieren. Zwischen Blankenese und Bergedorf, Finkenwerder und Duvenstedt erstreckt sich Hamburg über 755 Quadratkilometer. „Ich fahre in die Stadt" kann da auch heißen, daß man nach Eppendorf oder Othmarschen zum Einkaufen fährt.

Also sagen wir „City", was außer den Stadtplanern in Hamburg niemand sagt. Die „City" liegt zwischen dem Dammtorbahnhof, diesem Schmuckstück des Jugendstils zwischen Universität und Altem Botanischen Garten, und dem Hauptbahnhof. Die 1906 eingeweihte Halle der Zentralstation ist heute eine flotte Einkaufsmeile, stark durchmischt mit der Abseite des Lebens.

Sehr stolz sind die Hamburger auf ihre jungen Flanierwege des Konsums, die Passagen. Von den Colonnaden kann man ungeschoren von Wind und Wetter via Gänsemarkt-Passage, Hamburger Hof, Hanse-Viertel, Alte Post, Galleria und Kaufmannshaus zum Bleichenhof kommen, einem Parkhaus, das von Passagen regelrecht ummantelt wurde.

Gänsemarkt, Colonnaden, Jungfernstieg, Neuer Wall, Große Bleichen, Poststraße, Alsterarkaden und natürlich die Meile der Kaufhäuser, die Mönckebergstraße. Das sind die klassischen Hamburger Einkaufs- und Flanierstraßen. Über ihr Treiben mokierte sich im 19. Jahrhundert schon der Dichter Heinrich Heine, wenn er bei seinem Onkel, dem Bankier Salomon Heine, am Jungfernstieg zu Besuch war.

Der Bankier war ein wichtiger Mann für die Hansestadt. Als 1842 ein Feuer die Stadt in Schutt und Asche legte – noch viel verheerender waren dann die Bombenangriffe von 1943 –, unterstützte Heine den Wiederaufbau großzügig mit Krediten. Der Senat wollte ihn daraufhin zum Ehrenbürger ernennen. Doch betreten stellte man fest, daß Salomon Heine nicht einmal das Bürgerrecht besaß. Denn er war Jude.

Auf dem Rathausplatz erinnert seit 1982 ein Denkmal an seinen berühmten Neffen Heinrich, der in Hamburg seinen Verleger fand, Julius Campe, und sich insgesamt sechs Jahre in der Stadt aufhielt, wo er sich so unglücklich in seine schöne Cousine verliebte, daß ihn der Kummer zu wunderbaren Gedichten inspirierte, zu seinem „Buch der Lieder". Eins beginnt mit der Zeile: „Schöne Wiege meiner Leiden . . .". So nannte Heine die Stadt, die er geliebt und gehaßt hat.

Vor dem Rathaus weht auch die rote Fahne mit Hamburgs Wappen, dem Tor zur Welt. In dem prunkvollen Gebäude (errichtet 1886–1897) regiert ein „wohlweiser" (H. Heine) Senat den Stadtstaat. An seiner Spitze steht ein Bürgermeister, der sich seit altersher keinem gekrönten Haupt beugt: seit Kaiser Friedrich I. Barbarossa im 12. Jahrhundert das Gemeinwesen auf den Grundmauern der alten Hammaburg (gegründet um 830) zur Freien Reichsstadt erklärte.

In Hamburg, der Bürgerstadt par exzellence, ist daher kein Schloß, kein Fürstenpalais zu sehen, das architektonisch Hinweis darauf geben könnte, daß ein Feudalgeschlecht Herrschaftsansprüche angemeldet hätte. Dagegen gibt es vier Hauptkirchen, die ihren Ursprung im Mittelalter haben: St. Jakobi, St. Katharinen, St. Nikolai, St. Petri. Der Dom, der Jungfrau Maria geweiht, wurde zwischen 1804 und 1807 wegen Baufälligkeit abgebrochen. Zu schauen ist aber vor allem eine Attraktion, die nicht so leicht zu fassen ist. Das Wasser, das die eigentliche Schönheit der Stadt ausmacht.

Typically, or so the story goes, two Hamburg men meet in the Alps. "And how are you coping with the Alps?" one asks the other. "I can just about manage," he is told.

Or have you heard the one about the pedestrian who is caught in pouring rain in the "Treppenviertel", the maze of steep paths that lines the hillside overlooking Blankenese and the Elbe, and seeks shelter under a tree? A lady comes out of one of the little houses that line the paths and hands him an umbrella. "Here you are, so you don't get wet." He thanks her, only to be told "don't mention it" as the lady heads back indoors.

Well yes, that is typical of Hamburg, where people are helpful and friendly but aren't going to invite you into their homes in a hurry. As for the mountains, there they sadly miss the wide horizon and the feeling of confidence in having both feet firmly on the ground. They feel happiest back home where the lights play over the Alster, Hamburg's picturesque city-centre lake, where merchants' town houses of yesteryear are still spick and span, where the inns and restaurants serve fine fare befitting the savoir-vivre of a metropolis where more money is earned than anywhere else in Germany. But they don't go overboard in making declarations of love. Their emotions are betrayed only by the ardour with which they explain their city to the visitor.

A grand tour of the port by steamer is a must, followed by a walk round town, and as always in a large city, "town" (or "downtown") is a concept that is hard to define. From Blankenese to Bergedorf and from Finkenwerder to Duvenstedt, Hamburg covers an area of 755 square kilometres (291 square miles). "I'm going into town" can mean someone is going shopping in Eppendorf or Othmarschen.

So let's call it the City – even though no-one but town planners call it that in Hamburg. The City runs from Dammtor station, a "Jugendstil" jewel between the University and the old Botanical Garden, and Hauptbahnhof, the main railway station, built in 1906. The main station's shopping mall is bright and new, with its fair share of the seamier side of life.

Hamburg people are very proud of their new shopping malls, the "Passagen", or arcades. From Colonnaden you can cock a snook at the wind and rain, walking under cover through the Gänsemarkt-Passage, Hamburger Hof, Hanse-Viertel, Alte Post, Galleria and Kaufmannshaus to Bleichenhof, a multi-storey car park that is virtually surrounded by shopping arcades.

Gänsemarkt, Colonnaden, Jungfernstieg, Neuer Wall, Grosse Bleichen, Poststrasse, Alsterarkaden and, of course, Mönckebergstrasse with its department stores have long been the favoured haunts of Hamburg shoppers and people out for a walk – to see and to be seen. The Romantic poet Heinrich Heine was scathing in his criticism of the city's gentry back in the early years of the 19th century when he used to visit his uncle, the banker Salomon Heine, on Jungfernstieg.

Salomon Heine was an important public figure. In 1842, when much of the city centre was razed by fire (although World War II air raids were to be much more devastating), he lent generously to bankroll reconstruction. The Senate then planned to make him a freeman of the city but was most embarrassed to find that as a Jew he wasn't even entitled to fully-fledged citizenship.

Since 1982 there has been a monument on the Rathausmarkt to his famous nephew Heinrich, whose publisher, Julius Campe, was a Hamburg man and who spent six years in the city, falling so unhappily in love with his beautiful cousin that he was inspired to write the wonderful poems in his "Buch der Lieder", including one that begins with the words "Schöne Wiege meiner Leiden…" (Beautiful cradle of my suffering…). That was what Heine called the city he so loved and hated.

In front of the Rathaus the city's red flag flies, with its castle-like logo, or "gateway to the world". From this magnificent building, 1886–97, a "worldly wise" Senate, to quote Heine, governs the city-state. It is led by a burgomaster who, tradition has it, has never bowed to a crowned head – not since Holy Roman Emperor Frederick I, Barbarossa, granted the city on the site of a settlement known as Hammaburg and dating back to 830 free Imperial city status.

In Hamburg, a city of commoners, civil rights and public spirit par excellence, there is no palace, no chateau, no Schloss to provide an architectural pointer to claims to feudal rule of yesteryear. Instead there are four main parish churches, St Jakobi, St Katharinen, St Nikolai and St Petri, all dating back to the Middle Ages. The cathedral, which was dedicated to the Virgin Mary, was demolished between 1804 and 1807 as being dilapidated beyond repair. But what can be seen, an attraction less tangible, is the water to which the city owes its good looks.

Quand, surpris par une pluie d'orage, alors qu'il gravit les escaliers au flanc de la colline de Blankenese, le promeneur cherche abri sous un arbre, il peut lui arriver de voir une femme sortir de l'une des petites maisons et lui apporter un parapluie. «Tenez. Pour ne pas trop vous mouiller.» Le promeneur se confond en remerciements. «Da nicht für», «Il n'y a pas de quoi», dira-t-elle alors en regagnant sa maison.

Oui, c'est cela, Hambourg. C'est le côté courtois et aimable de ses habitants. Pourtant, ils n'ouvrent pas leur porte à l'étranger avec autant de célérité que cela pourrait le faire croire. En montagne, c'est l'horizon illimité qui leur manque le plus et la confiance en la stabilité. Ils ne se sentent vraiment bien que chez eux. Ah, la lumière que diffuse l'Alster! Les splendides demeures entretenues avec soin! Les bons restaurants! Le savoir-vivre discret d'une ville de quelque deux millions d'habitants où l'on gagne plus d'argent que partout ailleurs. Cependant, les habitants de villes hanséatiques tels que les Hambourgeois ne sont pas prodigues de déclarations d'amour. Seul l'empressement avec lequel ils expliquent leur ville à l'étranger trahit ce qu'ils ressentent vraiment.

Une visite du port s'impose! Aucun doute à cela. Puis, un tour de ville. Toutefois, le terme de «ville» est, de même que pour toute autre métropole, difficile à définir.

Entre Blankenese et Bergedorf, Finkenwerder et Duvenstedt, Hambourg s'étend sur 755 kilomètres carrés. «Je vais en ville» peut tout aussi bien vouloir dire que l'on a l'intention d'aller faire ses achats à Eppendorf ou à Othmarschen. Parlons donc plutôt de «city», vocable que personne n'emploie à Hambourg si ce n'est les urbanistes. La «city» s'étend entre la gare de Dammtor, joyau de l'Art Nouveau, entre l'université et l'ancien Jardin Botanique et la gare centrale. Le hall de cette dernière, inauguré en 1906, est aujourd'hui une élégante galerie marchande où vient s'amalgamer tout un monde de déshérités.

Les Hambourgeois sont très fiers des nouveaux hauts lieux de la flânerie et de la consommation que sont les galeries marchandes. Partant de la rue Colonnaden, on peut se rendre jusqu'au Bleichenhof sans craindre la pluie ou le vent, en traversant les passages du Gänsemarkt, du Hamburger Hof, du Hanse-Viertel, de la Vieille Poste, de la Galleria de la Kaufmannshaus et du Bleichenhof qui est un parking couvert, littéralement ceinturé de galeries marchandes. Gänsemarkt, Colonnaden, Jungfernstieg, Neuer Wall, Große Bleichen, Poststraße, Alsterarkaden, sans oublier, bien sûr, l'avenue bordée par les grands magasins, la Mönckebergstraße: ce sont là les rues commerçantes classiques fréquentées par les Hambourgeois et les endroits où ils aiment musarder. Le poète Heinrich Heine se moquait déjà, au dix-neuvième siècle, de l'affairement des habitants de la ville, lorsqu'il rendait visite à son oncle, le banquier Salomon Heine, qui habitait sur le Jungfernstieg.

Ce banquier joua un rôle important pour la Ville Hanséatique. Lorsque, en 1842, à la suite d'un incendie, la ville fut réduite en cendres – les bombardements de 1943 eurent un effet encore plus désastreux –, Heine accorda une aide généreuse à l'œuvre de reconstruction en allouant des crédits à la municipalité. Le Sénat décida alors de lui conférer le titre de citoyen d'honneur de la ville. Or, on dut constater, fort gêné, que Salomon Heine n'avait même pas droit de cité. Il était juif.

Sur la place de l'Hôtel de ville, un momunent fut érigé, en 1982, à la mémoire de son célèbre neveu, Heinrich, qui trouva à Hambourg son éditeur, Julius Campe. Heine y passa six ans en tout et y tomba si désespérément amoureux de sa belle cousine que le chagrin lui inspira de merveilleux poèmes connus sous le nom de «Livre des chants». L'un d'eux commence par le vers: «Beau berceau de mes souffrances . . .» Ainsi Heine appelait-il la ville qu'il a autant haïe qu'il l'a aimée. Devant l'Hôtel de ville flotte également le drapeau rouge aux armoiries de Hambourg: une porte ouverte sur le monde. C'est de ce bâtiment majestueux (érigé en 1886–1897) que la Ville-Etat de Hambourg est gouvernée par un Sénat de «sages» (H. Heine). A sa tête se trouve le bourgmestre qui n'eut jamais, à travers l'histoire, à se plier à une tête couronnée, depuis qu'au XIIe siècle, l'empereur Frédéric Ier Barberousse déclara Ville impériale libre l'ensemble de la communauté vivant dans l'ancienne Hammaburg (fondée en 830). C'est ce qui explique que Hambourg, ville «bourgeoise» par excellence, n'a aucun château, aucun palais princier qui, d'un point de vue architectonique, pourrait témoigner de ce qu'une race de seigneurs eût émis, au cours de son histoire, des prétentions à la domination de la ville. En revanche, on y trouve quatre églises, dont les origines remontent au Moyen Age: St. Jacques, Ste Catherine, St. Nicolas, St. Pierre. La cathédrale, dédiée à la Vierge Marie, fut rasée entre 1804 et 1807, pour cause de vétusté. Mais le véritable attrait de la ville, le plus visible et pourtant le plus difficile à saisir, c'est l'eau qui fait sa beauté proprement dite.

Nach elfjähriger Bauzeit ist Hamburgs pompöses Rathaus 1897 eingeweiht worden. Eine Besichtigung lohnt. Im Innern zeigt sich die Selbstdarstellungslust der Freien und Hansestadt in seltener Üppigkeit. Am Rande des Rathausplatzes: ein Denkmal für den Dichter Heinrich Heine von Waldemar Otto (1982) und ein Antikriegsmahnmal von Ernst Barlach (1932) an der Treppe zur Kleinen Alster.

Hamburg's pompous Rathaus, or city hall, took 11 years to build. It was inaugurated in 1897 and is well worth a visit. The interior testifies in an unusually luxurious manner to the Free and Hanseatic City's delight in self-presentation. By the side of the Rathausmarkt there is a 1982 monument to the poet Heinrich Heine by Waldemar Otto and a 1932 anti-war memorial by Ernst Barlach by the steps leading down to the Kleine Alster.

C'est en 1897, au terme des onze années sur lesquelles s'est échelonnée sa construction que le majestueux Hôtel de Ville de Hambourg fut inauguré. Une visite en vaut la peine. A l'intérieur, se manifeste, dans une luxuriance peu commune, le plaisir avec lequel la Ville Libre et Hanséatique évoque son histoire. En bordure de la place de l'Hôtel de Ville, près des escaliers qui mènent à la Petite Alster, se dressent un monument érigé à la mémoire du poète Heinrich Heine par Waldemar Otto (1982) et une sculpture d'Ernst Barlach (1932) condamnant l'ignominie de la guerre.

Der Jungfernstieg an der Binnenalster
ist Hamburgs traditionsreicher
Flanierboulevard. Das Neorenais-
sancegebäude links steht an dem
Platz des Hauses, in dem 1815 der
Dichter Matthias Claudius starb.
Durch das Gebäude aus rotem Sand-
stein in der Mitte, ehemals ein Hotel,
führt heute eine der Einkaufspassa-
gen der City. In dem Jugendstilhaus
rechts hatte der Bankier Salomon
Heine seine Stadtwohnung. Allerdings
sah das Gebäude zu seiner Zeit noch
sehr anders aus.

Jungfernstieg, on the Inner Alster, is
Hamburg's best-known promenade.
The neo-Renaissance building on the
left was built on the site of the house
where the poet Matthias Claudius
died in 1813. The red sandstone building in the centre used to be a hotel
but now houses one of the city-centre
shopping arcades. The banker Salomon Heine's place in the city stood
on the site of the Jugendstil building
on the right. In his day it looked
entirely different, of course.

Le Jungfernstieg, situé sur les bords
du bassin intérieur de l'Alster, est, à
Hambourg, un lieu de promenade
traditionnel. Le bâtiment néo-
renaissance, à gauche, se trouve à
l'emplacement de la maison où
mourut en 1815 le poète Matthias
Claudius. L'immeuble de grès rose,
au centre, autrefois un hôtel, est
aujourd'hui traversé par une des
galeries marchandes du centre-ville.
C'est dans la maison de style Art
Nouveau, à droite, que le banquier
Salomon Heine avait élu son domicile
urbain. Toutefois, ce bâtiment avait,
à l'époque, une toute autre
physionomie.

Die Tonnengewölbe aus Glas und Stahl bringen Licht in Hamburgs schönste Backsteinpassage. Das von den Architekten von Gerkan/Marg entworfene Hanseviertel, 1981 eingeweiht, ist das beliebteste Konsumparadies für den vor Regen geschützten Kaufrausch.

These steel and glass buoy-shaped structures let light into Hamburg's finest redbrick shopping arcade, the Hanseviertel. Designed by architects von Gerkan and Marg and opened in 1981, it is a firm favourite with shoppers fond of a shopping spree undisturbed by the rain.

Les voûtes de verre et d'acier baignent de lumière le plus beau passage de brique rouge de Hambourg. Le quartier de la «Hanse», conçu par les architectes von Gerkan/Marg et inauguré en 1981 est un paradis de la consommation, fort apprécié pour qui veut s'adonner, abrité des giboulées, à l'ivresse du shopping.

Der Ballindamm an der Binnenalster präsentiert sich nobel. Auffällige Neonreklame ist nicht gestattet. Benannt wurde diese Alsterpromenade nach dem Reeder Albert Ballin, der die „Hamburg-Amerikanische Packetfahrt-Actiengesellschaft" (HAPAG) um die Jahrhundertwende groß machte.

Nobility is the keynote of Ballindamm on the Inner Alster, where vulgar neon advertising is banned. The waterfront is named after shipowner Albert Ballin, under whose management the Hamburg-Amerikanische Packetfahrt-Actiengesellschaft (HAPAG) came into its own at the turn of the century.

Le Ballindamm, au bord du bassin intérieur de l'Alster a des allures majestueuses. Tous les néons publicitaires trop tapageurs en sont bannis. Cette promenade au bord de l'Alster a été baptisée du nom de l'armateur Albert Ballin qui, vers la fin du siècle, donna à la ligne maritime internationale Hamburg-Amerikanische Packetfahrt-Actiengesellschaft (HAPAG) ses lettres de noblesse.

Hamburg ohne Wasser. Das wäre wie ein Schiff auf dem Trockenen, wie eine Seifenblase ohne Luft: ein Nichts. Im Wasser spiegeln sich der Himmel und die Stadt. Jungfernstieg und Ballindamm sind ja nur deshalb einmalig, weil sie an der Binnenalster liegen. An Schwanenwik, Bellevue und Harvestehuder Weg die Sonne auf- und untergehen zu sehen, ist nur deshalb ein Traumstück weltstädtischer Augenlust, weil das Licht der Sonne durch den Spiegel der Außenalster gleichsam vervielfältigt wird.

Der Ursprung dieser großen Schwärmerei ist relativ klein. Die Alster entspringt 26 Kilometer nördlich von Hamburg und mündet nach nur 51 Kilometern in die Elbe. Ein Nichts im Vergleich zu diesem großen Strom Europas, der auf 1165 Kilometern durch zwei Länder fließt, bei den Römern Albis hieß und in der Tschechoslowakei Labe genannt wird. Doch wer den Alsterwanderweg von der Quelle bis zur Mündung geht – was ganz wunderbarerweise und sozialdemokratisch gerecht für jedermann möglich ist, genauso wie die Wanderung längs der Elbe von der Speicherstadt bis zur Landesgrenze –, wer diesen schönen Weg macht, lernt die Stadt von ihrer anmutigsten und wohlhabendsten Seite kennen.

An die praktische Seite des kleinen Flusses – der von der Quelle bis zur Mündung ein Gefälle von immerhin 28 Metern hat, gesteuert durch mehrere Schleusen – an die Schiffahrt erinnern heute meist nur noch Straßennamen. Früher wurden Torf, Holz und Segeberger Kalk auf der Alster zum Hafen getreidelt. Die Leinpfade, die für die Treidelschiffahrt angelegt wurden, sind heute exklusive Wohnadressen.

Daß an der Alster auch gearbeitet wurde, kann man heute trotz Umfunktionierung noch an einem der Kanäle erleben, in die sich die Alster im Nordteil der Stadt so attraktiv spaltet, am Osterbekkanal, wo in den ehemaligen Maschinenhallen auf dem Kampnagel-Gelände in den achtziger Jahren eine ebenso bunte wie kreative Kulturfabrik entstand.

Das Flußkreuz von Elbe und Alster, an das sich die Stadt angelegt hat, kennt jeder. Die Alsterfleete, in denen das Flüßchen so venezianisch in den Fluß mündet, machen das Zentrum attraktiv. Zu unrecht vergessen, von der Stadtplanung oft allzu schnöde unter die Erde verbannt, sind die Beken, die sich Fluß noch nicht nennen dürfen. Die Quelle der Thielbek liegt versteckt im Keller eines Weinlokals am Großneumarkt mitten in der Stadt. Osterbek, Isebek, Tarpenbek, Wandse, Eilbek, Flottbek, Halstenbek, Pepermölenbek. Na, und die Bille im Osten, die ja schon wieder ein veritabler Fluß ist. Sie alle machen Hamburg zu einer Stadt am Wasser, die sich rühmt, mehr Brücken zu haben als Venedig.

Über tausend Brücken kann man geh'n. Die bekannteste ist die Lombardsbrücke, die Binnen- und Außenalster wie eine schöne Taille einschnürt und mit der Kennedybrücke eine moderne Parallele erhalten hat. Errichtet wurde sie im Wirtschaftsboom der zweiten Hälfte des 19. Jahrhunderts. Ihr Name stammt von dem städtischen Leihhaus „Lombard", das hier seit Ende des Dreißigjährigen Kriegs stand. Die Krugkoppelbrücke ist der 1928 eingeweihte nördliche Schlußbogen der Außenalster. Die Klinkerbrücke wurde von Fritz Schumacher entworfen, den die Stadt 1909 zu ihrem Baudirektor ernannte und der ihr Gesicht mit seinen Backsteinbauten entscheidend prägte (Museum für Hamburgische Geschichte, Hochschule für Bildende Künste, Johanneum, Handwerkskammer, Finanzbehörde am Gänsemarkt, Jarrestadt).

Hamburg without water would be like a ship high and dry, like a soap bubble without air – a nothing. The water reflects the sky and the city's skyline. What makes Jungfernstieg and Ballindamm unique is that they line the Inner Alster. Watching the sun rise and set on Schwanenwik, Bellevue and Harvestehuder Weg is a sight for sore metropolitan eyes – but only because the sunlight is reflected and multiplied by the sparkling water of the Outer Alster.

This much-vaunted jewel has fairly modest origins. The Alster's source is 26 km (16 miles) north of Hamburg and it flows into the Elbe a mere 51 km (32 miles) further on. It is nothing in comparison with the Elbe, one of Europe's major rivers, which runs for 1,165 km (728 miles) through two countries, was known as the Albis by the Romans and is known as the Labe in Czechoslovakia. But follow the Alster walkway from its source to its confluence with the Elbe, which is quite miraculously possible, a public right of way having been secured – in Social Democratic justice – for all, just as there is a right of way along the Elbe from the Warehouse City to the city's border with neighbouring Schleswig-Holstein, take this delightful walk and you will get to know the city from its most graceful and affluent side.

Street names are all that recalls the practical side of the modest river – as an inland waterway that descends 28 metres (92 ft) from source to confluence, passing several locks en route. Peat, wood and Segeberg lime used to be towed down the Alster to the port. Towpaths laid for the boatmen are now prestige addresses.

The Alster may now be used for leisure pursuits only, but along one of the canals that flow into it, running so attractively through the north of the city, the Osterbekkanal, you can still see that the Alster used to be a working river. Alongside the canal, in the disused Kampnagel workshops, a factory of the arts was set up, as gaily coloured as it is creative, in the 1980s.

Everyone is familiar with the confluence of the Alster and the Elbe, where Hamburg first took shape. The Alster fleets, or canals, through which the river flows, in true Venetian fashion, into the Elbe make the city centre most attractive. Another category, the becks or brooks, which never quite qualified as rivers, have unjustifiably been forgotten – and often shabbily culverted by the town planners. The source of the Thielbek, for instance, is hidden away in the cellar of a city-centre wine bar on Grossneumarkt. Its fate is largely shared by the Osterbek, the Isebek, the Tarpenbek, the Wandsbek, the Eilbek, the Flottbek, the Halstenbek and the Pepermölenbek, whereas the Bille to the east is a bona fide river. They all make Hamburg a city on the water that can be justly proud of having more bridges than Venice.

Over 1,000 bridges are yours to cross. The best-known is Lombardsbrücke, spanning the hourglass waistline that separates the Inner and the Outer Alster, with the more modern Kennedybrücke running alongside it. It was built during the boom years of the late 19th century and owes its name to the municipal pawnshop that stood on the spot from the end of the Thirty Years' War. Krugkoppel-brücke, opened in 1928, is the northernmost final arch of the Outer Alster. It is a redbrick bridge designed by Fritz Schumacher, who was appointed municipal director of public works in 1909 and whose redbrick buildings (the Museum of Hamburg History, the Academy of Fine Arts, the Johanneum, the Chamber of Trade, the Finance Department on Gänsemarkt and the Jarrestadt housing estate in Barmbek) were long a hallmark of the city.

Hambourg sans eau. Ce serait un navire en cale sèche, une bulle de savon sans air: autrement dit, rien. C'est dans l'eau que se mirent le ciel et la ville. Le Jungfernstieg et Ballin-damm ne tirent leur caractère d'exceptionnelle beauté que du fait qu'ils bordent le Bassin intérieur de l'Alster. Et voir le soleil se lever et se coucher de Schwanenwik, Bellevue ou Harvestehuder Weg n'est un rêve, en même temps qu'un régal pour les yeux d'un citadin, que pour la seule raison que la lumière du soleil se brise en mille facettes en se réfractant à la surface du bassin extérieur de l'Alster.

Cette exaltation a une origine pourtant assez insignifiante. L'Alster prend sa source à 26 kilomètres au nord de Hambourg et débouche dans l'Elbe après avoir parcouru seulement 51 kilomètres: un rien, en comparaison de la longueur de ce grand fleuve européen qui, sur 1.165 kilomètres, coule à travers deux pays, s'appelait Albis chez les Romains et porte de nom de Labe en Tchécoslovaquie. Mais qui suit son cours en longeant l'Alsterwanderweg, le chemin de promenade menant de la source à l'embouchure – selon un principe d'équité toute socio-démocratique, ceci est permis à tout un chacun, de même que l'est la randonnée que l'on peut faire le long de l'Elbe, du quartier des entrepôts jusqu'aux frontières du Land – apprend à connaître la ville sous son aspect le plus enchanteur et le plus luxueux à la fois.

Seuls quelques noms de rue évoquent aujourd'hui l'aspect pratique de cette petite rivière qui, de la source à l'embouchure, accuse tout de même une dénivellation de 28 mètres et est régulée par plusieurs écluses, à savoir celui de la navigation. Au cours des temps passés, la tourbe, le bois et la chaux de Segeberg étaient halés sur l'Alster pour être transportés jusqu'au port. Les chemins de halage sont aujourd'hui autant d'adresses sélectes de la gent huppée. Bien que l'Alster ait perdu sa vocation d'origine, il est encore permis de constater aujourd'hui, sur les bords d'un des canaux formés par le partage de ses eaux, l'Osterbekkanal, qui coule dans la partie nord de la ville, que l'on a aussi travaillé sur ses berges. Dans les anciennes salles des machines de l'usine désaffectée de la firme Kampnagel, une «fabrique culturelle» vit le jour dans les années quatre-vingts, fabrique dont le programme est aussi diversifié qu'il fait preuve de créativité.

Tout le monde connaît la croix que forment l'Elbe et l'Alster, sur laquelle est construite la ville. Les «Fleete», minuscules canaux auxquels donne naissance l'Alster en débouchant dans l'Elbe et qui font de cette partie de la ville une Venise du Nord, constituent l'attrait du centre.

Les «Beken», courants d'eau n'ayant pas encore le droit de s'appeler rivières sont tombés, à tort, dans l'oubli et ont été ingratement relégués dans les profondeurs de la terre par les urbanistes. La source de la Thielbek se dissimule ainsi dans la cave d'une taverne, près de la place Großneumarkt, en plein cœur de la ville. Osterbek, Isebek, Tarpenbek, Wandsbek, Eilbek, Flottbek, Halstenbek, Pepermölenbek. Il ne faut pas non plus oublier la Bille, à l'est, qui, elle, est déjà une véritable rivière. Toutes font de Hambourg une cité lacustre qui se targue d'avoir plus de ponts que Venise.

On peut y franchir mille ponts. Le plus célèbre est le Lombardsbrücke, enserrant la belle taille des bassins intérieur et extérieur de l'Alster, flanqué de son jumeau, de style plus moderne, le pont Kennedy. Il fut érigé au cours de la période de boom économique que connut la deuxième moitié du XIXe siècle et doit son nom au mont-de-piété municipal, le «Lombard», qui se trouvait à cet endroit à partir de la fin de la Guerre de Trente Ans. L'arche du Krugkoppelbrücke, pont inauguré en 1928, ferme le nord du bassin extérieur de l'Alster. Le Klinker-brücke fut conçu par Fritz Schumacher que la ville avait nommé directeur en chef des travaux publics. Il donna une empreinte indélébile à la physionomie de la ville en faisant construire des bâtiments de briques tels que le Musée d'Histoire de Hambourg, l'Ecole des Beaux-Arts, le Johanneum, la Chambre des Métiers, l'Administration des Finances sur la place Gänsemarkt et la Jarrestadt.

Am Jungfernstieg starten die „Schlickrutscher" zu den höchst romantischen Kreuzfahrten durch die Kanäle, in die sich die Alster im Norden von Hamburg aufteilt. Gesäumt werden diese Wasserstraßen von Villen, Gärten, Parks und historischen Fabrikanlagen. Eine Sightseeingtour, bei der das Schiff manchmal nur knapp einen Fuß Wasser unterm Kiel hat.

From Jungfernstieg flat-bottomed cruise boats set sail on romantic tours of the canals that flow into the Alster from the north of the city. The canals are lined by town houses, gardens, parks and historic factory buildings. On these sightseeing tours the boat is at times no more than a foot clear of the canal bed.

C'est au Jungfernstieg qu'on embarque sur les «Schlickrutscher» pour une croisière des plus romantiques à travers les canaux que forment les ramifications de l'Alster au nord de Hambourg. Villas, jardins, et anciens bâtiments industriels bordent ces voies d'eau. Un parcours guidé, en bateau où il n'y a parfois qu'un pied d'eau sous la quille de ces embarcations qui «glissent sur le limon».

Das verschwiegenste Alstercafé liegt am Mühlenkamp in Winterhude. Wer sich auskennt, steuert das Café Fiedler mit dem eigenen Paddelboot oder der weißen Alsterflotte an. Früher zogen hier, am Langen Zug, die Lastkähne der Treidelschiffahrt durch.

Café Fiedler, the most secluded café on the Alster, is on Mühlenkamp in Winterhude. Once you know where it is you can access it by the white Alster ferry or by paddle boat of your own. Working canal boats used to be bowhauled along the towpath here.

Le café de l'Alster le plus retiré et le plus tranquille se trouve sur le Mühlenkamp à Winterhude. Le connaisseur pourra, à bord de son propre canot ou de la «Flotte Blanche de l'Alster», mettre le cap sur le café Fiedler. Jadis, les chalands de poussage passaient ici, au Langer Zug.

Im 19. Jahrhundert begannen die wohlhabenden Hamburger, ihre Sommervillen am Westufer der Außenalster zu errichten. Seit der Internationalen Gartenbau-ausstellung 1953 sind die ehemaligen Villengärten allen als Alsterpark zugänglich. Die attraktive Grün-anlage am Rande der City ist höchst beliebt, hat aber immer noch – wie man sieht – ihre lauschigen Ecken.

In the 19th century well-to-do Ham-burgers began to build summer villas on the west bank of the Outer Alster, with gardens that ran down to the shore. Since the 1953 international horticultural show they have been open to the public as the Alsterpark. It is extremely popular, being close to the city centre, yet still has a few secluded corners.

C'est au XIXe siècle que les Hambour-geois aisés commencèrent à édifier leurs villas d'été sur la rive ouest du bassin extérieur de l'Alster. Depuis l'exposition florale internationale de 1953, les anciens jardins de ces villas, devenus «Parc de l'Alster», sont accessibles au public. Ce ravissant espace vert en bordure du centre-ville est fort prisé. Toutefois, comme on le voit, il a su préserver ses coins discrets.

Wer Hamburgs Wahrzeichen, dem Turm der Michaeliskirche, in die Krone steigt, dem liegt die Stadt zu Füßen. Es lohnt sich sehr, nicht nur in die Ferne zu schauen, sondern auch in die Nähe zu sehen. Es ist zum Schwindligwerden da unten diese schrumpelige Doppelreihe kleiner Dächer auf der Ostseite des Michel! Diese verwinkelte Gasse – das sind die Krameramtsstuben, ein Überbleibsel aus der Mitte des 17. Jahrhunderts, mit dem etwas kleinlaut dem Ruf widersprochen wird, daß Hamburg eine Freie und Abrißstadt sei, die zugunsten des Neuen das Alte immer wenig achte.

In den winzigen Zimmern dieser Gasse – heute Museum, Galerie, Restaurant – wohnten einmal die Witwen der Krämer. Sie waren gut untergebracht. Denn auf diesem sanften Hügel der Neustadt lebte es sich gesünder als in der Altstadt. Die Neustadt wurde erst nach dem Dreißigjährigen Krieg von Hamburg eingemeindet, das heißt, in die Stadtbefestigung miteinbezogen.

Die Neustadt wird heute dominiert von der barocken Michaeliskirche und der sechsspurigen Ost-West-Straße, einer Untat der Nachkriegszeit, die oft weggedacht, aber noch nicht wieder weggemacht wurde. Zu teuer! Und wo soll man hin mit den Autos? Schwindel einer anderen Art als bei den Krameramtsstuben ergreift einen, wenn man vom Michel nach Süden auf das Riesenschiff schaut, das gar kein Schiff, sondern das Haus des Medienriesen Gruner und Jahr ist. Dieses spektakuläre Verlagsgebäude zwischen Michel und Hafen ist eine Kleinstadt für sich, die ihre Tentakel weit in das alte Hafenviertel ausgestreckt hat. Neue Restaurants und Läden sind aus dem Boden geschossen, die die Mediengesellschaft, die da so exklusiv in einem Boot sitzt, nobel bedienen. Die Architekten dieses Mammutbüroschiffs kamen aus München (Kiessler, Schweger und Steidle) und haben auf ihre Weise aus Schiff- und Häuserbau eine gelungene architektonische Beziehungskiste gemacht.

Die Neustadt rund um den Michel hat sich in den letzten dreißig Jahren rasant verändert. Daß das Gebiet am und um den Großneumarkt, jenseits der Ost-West-Straße, Anfang der siebziger Jahre noch dringend sanierungsbedürftig war, ist kaum noch nachzuvollziehen. Das Quartier ist heute über Hamburgs Grenzen hinaus berühmt für die Vielzahl seiner Kneipen und Restaurants. Hier geht man gerne aus. Auch das Wohnen ist inzwischen für Besserverdienende attraktiv geworden.

Sanierung ist ein altes Stichwort für die Gegend um den Großneumarkt. Um 1870 wurden die miserablen Wohnhäuser des alten Gängeviertels in der Wex- und Brüderstraße durch noble Neubauten ersetzt. Hundert Jahre später, um 1970, passierte rund um die Peterstraße eine der eigenartigsten „Verschönerungen" von Hamburg. Wie Potemkinsche Dörfer wurden dort historische Fassaden hochgezogen, die es so niemals an der Stelle gegeben hatte. Nur das Beylingstift wurde authentisch restauriert.

Ein merkwürdiges Dokument der Sehnsucht nach alter Bautradition ist auch die Musikhalle. Das 1904 bis 1908 erbaute Haus, von dem Reeder-Ehepaar Carl Heinrich und Sophie Laeisz gestiftet, imitiert schönsten Barockstil. Sieht alt aus, ist es aber nicht. Genauso wie Strafjustiz- und Ziviljustizgebäude im benachbarten Gerichtsviertel am Sievekingplatz. Die Bauten im Renaissance-Stil entstanden kurz vor der Jahrhundertwende.

Älter ist Planten un Blomen in der Nachbarschaft – ein Teil der Parkanlage am Rande der Innenstadt. Oben vom Michel aus nicht zu übersehen. Viele Verwandlungen hat dieser große Garten mitgemacht. Er liegt wie eine grüne Lunge am alten Stadtwall. Der nördliche Teil der Anlage wurde 1821 als einer der ersten botanischen Gärten der Welt begründet.

Climb to the top of Hamburg's hallmark, the spire of the Michaeliskirche, and you will have the city at your feet. It is well worth-while not just to look into the far distance but to take a closer look at what goes on nearby. But maybe not for those with a poor head for heights. Just look at that double row of tiny roofs to the east of the Michel! The Krameramtsstuben, which line that crooked little alley, are a mid-17th century complex that is somewhat shamefacedly mentioned to counter claims that Hamburg has always been ready to demolish the old to make way for the new.

The tiny rooms in the houses that line this lane – buildings now used as a museum, an art gallery or a restaurant – were once an old people's home for merchants' widows. And they lived well here, on a gently sloping hill in the Neustadt, where life was healthier than in the Altstadt. The Neustadt wasn't taken over by Hamburg and enclosed by the city's ramparts until after the Thirty Years' War.

Its hallmarks today are the baroque Michaeliskirche and the six-lane Ost-West-Strasse, a post-war misdeed that has often been undone in the mind's eye but never in fact; it would be far too expensive, and where are all the cars to go? You will feel dizzy in an entirely different way when you look due south at the gigantic ship-shaped head office of media giants Gruner + Jahr, the publishers. This spectacular complex between the Michel and the Port is a small town in its own right, extending its tentacles well out into the harbour area of old. New shops and restaurants have sprung out of the ground to provide a media group so exclusively housed in a boat of its own with no less exclusive services. The Munich architects who designed this king-sized ship-shaped office block, Kiessler, Schweger and Steidle, have succeeded in their bid to establish an architectural link between shipbuilding and housebuilding.

Neustadt, the area at the foot of the Michel, has undergone swift and dramatic changes over the past 30 years. It is hard now to imagine that in the early 1970s Grossneumarkt and environs, on the other side of Ost-West-Strasse, urgently needed modernising. It is now well known in Hamburg and further afield for its bars and restaurants, a part of town night-outers like to patronise – and a popular residential area for the well-to-do.

Modernisation is nothing new in the Grossneumarkt area. In about 1870 the ramshackle old houses in the Gängeviertel were replaced by the splendid new tenement blocks in Wexstrasse and Brüderstrasse. A century later, in about 1970, one of Hamburg's oddest "beautifications" befell Peterstrasse and its immediate surroundings. Historic facades of a kind that had never before graced the spot were built like Potemkin's villages. Only the Beylingstift was restored in keeping with the original design.

The Musikhalle is another strange example of the desire for old architectural tradition. It was built between 1904 and 1908 in the finest mock baroque – and donated to the city by shipowner Carl Heinrich Laeisz and his wife Sophie. It may look old, but it isn't. The same is true of the courts, the Strafjustizgebäude and the Ziviljustizgebäude, on neighbouring Sievekingsplatz. They are Renaissance-style buildings dating back to just before the turn of the century.

Planten un Blomen, part of the city-centre inner ring of parks, is older. It too cannot be missed from the spire of the Michel. It has undergone many a change yet still lies like a green lung by the old city walls. The northern section was laid out in 1821 as one of the world's first botanical gardens.

Qui gravit les marches de la tour de l'église St. Michaelis, symbole de Hambourg, jusqu'à la rotonde qui la couronne, voit la ville se prosterner à ses pieds. Le spectateur ferait bien, d'ailleurs, de ne pas seulement promener son regard sur les étendues lointaines, mais de scruter aussi les proches environs de l'église. C'est à en avoir le vertige. Là, tout en bas, cette double rangée malingre de petits toits sur le flanc est du «Michel», cette venelle tortueuse, ce sont les Krameramtsstuben, vestiges de la deuxième moitié du XVIIe siècle et preuve, certes bien fragile, que Hambourg n'est point, comme sa réputation le veut, non seulement une Ville libre mais une «entreprise de démolition» n'ayant que bien peu de respect pour les témoignages du passé et leur préférant la modernité.

Les veuves des petits commerçants vivaient, à l'époque, dans les minuscules logements de cette venelle, devenus aujourd'hui musée, galerie, ou restaurant. L'endroit était bien choisi. Car les conditions de vie sur cette butte de la «Neustadt», de la «Ville Nouvelle», étaient bien plus salubres que dans la Vieille Ville. Le quartier de Neustadt ne fut incorporé à la commune de Hambourg, c'est-à-dire admis intra muros, qu'après la Guerre de Trente Ans. Ce quartier est aujourd'hui dominé par l'église baroque St. Michaelis et par l'artère principale à six voies qui le parcourt, l'Ost-West-Straße, péché datant de la période d'après-guerre et que les Hambourgeois tentèrent souvent d'effacer de leur mémoire, mais qui n'a toujours pas été expié. Trop cher! Et où faire passer toutes les voitures? Un vertige d'un tout autre genre qu'à la vue des Krameramtsstuben assaille le spectateur, lorsque, du haut du «Michel» ses regards glissent vers le sud, découvrant un navire gigantesque, qui n'en est d'ailleurs pas un vrai, mais le palace où réside le géant des médias Gruner und Jahr. Les buildings aux dimensions spectaculaires, occupés par cette maison d'édition, sise entre le «Michel» et le port, sont une ville en soi, étendant ses tentacules jusque loin dans l'ancien quartier du port. De nouveaux restaurants ont proliféré tout autour, faisant noblement profiter de leurs services ce géant médiatique qui, de son bateau, dirige avec une si superbe élégance son empire. Les architectes de ces bureaux monumentaux rappelant la forme d'un navire, sont venus de Munich (Kiessler, Schweger et Steidle) et ont su, à leur manière, réaliser une synthèse architectonique entre construction immobilière et construction navale. Au cours des trente dernières années, le quartier de Neustadt enserrant le «Michel» a changé de visage à une allure vertigineuse. On a peine à s'imaginer aujourd'hui que

cette partie de la ville, située au-delà de l'Ost-West-Straße et entourant la place Großneumarkt ait eu besoin d'être assainie d'urgence, même au début des années soixante-dix. La multitude de ses bistrots et de ses restaurants l'a rendue célèbre bien au-delà des limites de Hambourg. C'est un quartier très fréquenté le soir qui, en outre, est fort prisé des classes aisées qui cherchent à y élire domicile aujourd'hui. La notion d'«assainissement» n'est pas nouvelle, pour ce qui est des alentours de la place Großneumarkt. Vers les années 1870, les bâtiments d'habitation du vieux «Gängeviertel», un quartier de venelles formé par les rues Wexstraße et Brüderstraße, furent refoulés au profit de nouvelles constructions bien plus élégantes. Cent ans plus tard, aux alentours de 1970, une des plus singulières mesures d'«embellissement« de Hambourg fut mise en œuvre. Telles des coulisses de théâtre, des façades «historiques» furent apposées aux bâtiments existants, façades qui n'avaient, bien sûr, jamais existé sous cette forme, à cet endroit. Seul le couvent Beylingstift fut authentiquement restauré.

La Musikhalle est également un témoignage remarquable de la nostalgie du passé en matière architecturale. Cet édifice construit entre 1904 et 1908, donation faite à la ville par le couple d'armateurs Carl Heinrich et Sophie Laeisz, est une réplique du plus beau style baroque. Son air ancien trompe. De même que trompe celui des bâtiments de la Cour de Justice pénale et civile, situés dans le quartier des Tribunaux voisin, bordant la place Sieveking. Ceux-ci, érigés dans le style de la Renaissance, datent de la période précédant juste le début du siècle.

«Planten un Blomen», qui fait partie du Jardin Botanique et s'étend en bordure du centre-ville, remonte plus loin dans le temps. Du haut du «Michel», il ne peut échapper au regard. Ce vaste jardin, poumon vert s'étirant tout au long des anciennes fortifications de la ville, a subi de nombreuses mutations. En 1821, la partie nord fut aménagée en jardin botanique et était, à l'époque, unique en son genre dans le monde entier.

Der Turm der Michaeliskirche, der Michel, ist das Wahrzeichen der Hansestadt. Wer den Turm besteigt, dem liegt Hamburg zu Füßen. Ganz nah der Hafen mit den Landungsbrücken und der U-Bahn auf Stelzen, ferner die Außenalster und ganz fern die Hügel am Nordufer der Elbe.

The spire of the Michaeliskirche, popularly known as the Michel, is a Hamburg hallmark. The view from the top is one of Hamburg at your feet, with landmarks such as Landungsbrücken, the harbour and the overground riverside U-Bahn close by, and further afield the Outer Alster and the hills that line the north bank of the Elbe.

La tour de l'église St Michaelis, que les Hambourgeois appellent tout simplement «Michel», est l'emblème de la Ville Hanséatique. Celui qui grimpe en haut du clocher voit Hambourg étendu à ses pieds. Tout près de là, il y a le port, flanqué du Pont du Débarcadère et le métro aérien sur ses échasses d'acier; plus loin c'est le bassin extérieur de l'Alster et au-delà, les collines de la rive nord de l'Elbe.

Die Krameramtswohnungen wurden im 17. Jahrhundert für die Witwen der Einzelhändler errichtet. Die kleine Gasse zu Füßen der Michaeliskirche wurde Anfang der 70er Jahre restauriert und ist heute – bestückt mit einem kleinen Museum, Läden und einem Restaurant – ein sehr beliebtes Touristenziel.

The Krameramtswohnungen were built as almshouses for merchants' widows in the 17th century. This narrow street at the foot of the Michaeliskirche was restored in the early 1970s and is now a popular tourist target with a small museum, shops and a restaurant.

Les Krameramtswohnungen ont été construites au XVIIe siècle pour les veuves des commerçants. Située au pied de l'église St Michaelis, cette petite rue étroite qui fut restaurée au début des années soixante-dix, dotée d'un petit musée, de boutiques et d'un restaurant, est aujourd'hui un lieu touristique très en vogue.

Die U-Bahnstation „Baumwall"
(links) liegt über der Erde. Der Hoch-
bahnviadukt wurde 1912 eingeweiht.
Damals war die Hafenrandbahn
Zubringer für Werftarbeiter, Schauer-
leute und Seeleute. Heute sitzen
überwiegend Büroangestellte in der
U-Bahn mit dem attraktiven Hafen-
blick.

Unusually for a subway, Baumwall
U-Bahn station, left, is overground,
on a viaduct opened in 1912. In those
days the line was used by thousands
of dockers, sailors and shipbuilding
workers. Today's commuters with a
scenic view of the harbour on their
way to and from work are mainly
office workers.

La station de métro Baumwall (à
gauche) est construite en hauteur.
L'inauguration du viaduc du chemin
de fer aérien eut lieu en 1912. A cette
époque, le train de la zone portuaire
était le moyen de transport emprunté
par les ouvriers des chantiers navals,
les débardeurs ainsi que par les
marins. Aujourd'hui, ce sont princi-
palement les employés de bureau qui
se déplacent à l'aide de ce métro,
jouissant d'une vue splendide sur le
port.

Die neobarocke Musikhalle, 1908 eingeweiht, ist eine Stiftung des Reeder-
ehepaares Carl Heinrich und Sophie
Laeisz. Unweit von hier wurde 1833
der Komponist Johannes Brahms
geboren. Im Hintergrund das 1964
bezogene Unilevergebäude (Architekten: Hentrich und Petschnigg).

The neo-Baroque Musikhalle, inaugurated in 1908, was built with funds
donated by shipowner Carl Heinrich
Laeisz and his wife Sophie. Nearby, in
1833, the composer Johannes Brahms
was born. The building in the background, designed by architects Hentrich and Petschnigg, is the German
Unilever head office, opened in 1964.

La salle de concert neo-baroque,
inaugurée en 1908, est une donation
du couple d'armateurs Carl Heinrich
et Sophie Laeisz. Non loin de là, est
né, en 1833, le compositeur Johannes
Brahms. A l'arrière-plan, l'immeuble
Unilever, (construit en 1964 par les
architectes Hentrich et Petschnigg).

Jede Generation hat ihre eigenen kulturellen Trampelpfade durch die Stadt. Der Generationswechsel vollzieht sich immer schneller. Niemand wäre vor 1980 auf die Idee gekommen, vom Hauptbahnhof – mit Abstecher zur Kunsthalle/ Kunstinsel – *nicht* zur Alster zu gehen, sondern nach Süden, Richtung Elbe, um nach rund fünf Kilometern am Altonaer Fischmarkt anzukommen. Heute ist das ein Weg von Format, wie man ihn so in keiner anderen deutschen Stadt findet. Ein Konglomerat von Kommerz und Kultur. Sehr hamburgisch. Wobei auffällt, wie gern die Kultur in die stillgelegten Hallen des Kommerzes einzieht.

Die Markthallen und die Deichtorhallen. Aus der schönen alten Architektur nach der Jahrhundertwende sind Obst und Gemüse, Käse, Wurst und Blumen längst ausgezogen. Die beiden Deichtorhallen lagen lange öde und völlig verwaist zwischen Eisenbahndamm und Oberhafen, sollten eigentlich abgerissen werden. Gerettet hat den ehemaligen Berliner Bahnhof dann die Stiftung des Industriellen Kurt Körber. Mit Kunst „einleuchten" durfte die Hallen im Herbst 1989 ein Schweizer: Harald Szeemann mit der Ausstellung „Einleuchten". Seitdem wird hier in wechselnden Ausstellungen alte und neue Kunst gezeigt.

Der berühmteste architektonische Höhepunkt in der Nachbarschaft der Deichtorhallen ist das Chilehaus. Wie ein sehr spitzer Schiffsbug schiebt sich das vielhundertfenstrige Backsteinhaus nach Osten vor. Das imposante Gebäude des „Backsteinfürsten" Fritz Höger, das 1924 eingeweiht wurde, ist das Flaggschiff aller Kontorhäuser an Elbe und Alster. Die Hansestadt ist nicht besonders reich an architektonischen Höhepunkten mit Weltgeltung. Doch ihre solide Kontorhauskultur wird ihr niemand absprechen. In der Nachbarschaft des Chilehauses gibt es dafür noch mehr schöne Beispiele. Ein augenfälliger städtebaulicher Glanzpunkt ist dagegen die Speicherstadt am Rande des Freihafens. Seit 1888 werden Kaffee, Tee, Gewürze, tropische Nüsse, orientalische Teppiche und vieles mehr hier gelagert. Zollfrei. Auf den Elbarmen, die die Speicherstadt durchziehen, bleiben die Lastkähne manchmal im Schlick stecken. Mit der nächsten Flut kommen sie wieder frei.

Die von Zinnen und Türmchen gekrönte Speicherstadt in schönstem Backsteinrot ist seit langem ein heißes Objekt der Begierde. Für Wohnungen, Ateliers, Werkstätten, Galerien, Kneipen, Läden... Eine Sozialstruktur, wie sie sich bereits Anfang der neunziger Jahre erfolgreich in der nicht allzu fernen Admiralitätsstraße durchgesetzt hat. Eine Ummünzung, wie sie schon in den siebziger Jahren die alte Deichstraße am Nikolaifleet erlebte. In einem der Lagerhäuser an der Deichstraße war 1842 der große Hamburger Brand ausgebrochen. Die spätgotische Basilika St. Katharinen gegenüber der Speicherstadt war damals verschont geblieben. Die Sprengbomben des Zweiten Weltkriegs legten sie dann in Schutt und Asche. St. Katharinen wurde wieder aufgebaut. Die Ruinen der Nikolaikirche am nahen Hopfenmarkt beließ man als Mahnmal für den Frieden.

Überseebrücke – St. Pauli Landungsbrücken. Zwischen Deichtorhallen und Fischauktionshalle ist der Schiffahrt am besten nahezukommen. Der Fischgeruch stammt von den Fischbrötchen. Schiffe werden in den gegenüberliegenden Docks nicht mehr gebaut, nur noch überholt. Trotzdem versammelt sich hier noch immer alles und alle, die Hafenatmosphäre lieben. Am liebsten sonntags ab sechs Uhr, wenn im benachbarten Altona Fischmarkt ist. Spätaufsteher erkennen die Besucher des traditionellen Trödel-, Gemüse- und Fischmarkts dann so gegen zehn nur noch als schwankende Bäumchen oder Büsche. Denn Grünpflanzen sind der Hit des Fischmarkts. Die Fischauktionshalle mit ihren schönen eisernen Bögen, 1895 errichtet und 1982/84 restauriert, ist Marktzentrum. Nichts ist hier mehr so ruppig verkommen wie noch in den siebziger Jahren. Die neue Kneipenszene ist eher schick als urig. Die Spuren der Geschichte, der räudige Pelz der Großstadt? Sie sind nur noch in wenigen Ecken zu finden. Früher begegnete sich am Hafen die Welt. Heute trifft sich dort „tout" Hamburg.

Each generation treads its own beaten path to the arts – and the art of living – in Hamburg. And each generation succeeds its predecessor at a faster pace. No-one would even have imagined, prior to 1980, heading not to the Alster from Hauptbahnhof but – with a detour to the Kunsthalle and the Kunstinsel – south toward the Elbe, ending roughly five kilometres away at the Fischmarkt in Altona. Yet today that is a path of distinction the like of which is to be found in no other German city. It is a conglomerate of commerce and the arts, very much in keeping with Hamburg. And it is striking how gladly the arts make themselves at home in disused halls of commerce.

The Markthallen and Deichtorhallen, for instance. Fruit and vegetables, sausage, cheese and flowers have long ceased to be traded in the fine old market halls with their pre-World War I Wilhelminian architecture. The two Deichtorhallen long lay disused and orphaned between the railway tracks and the Oberhafen, condemned and due for demolition. Originally the city's Berlin-bound railway station, they were salvaged by a foundation set up by the industrialist Kurt Körber. A Swiss curator, Harald Szeemann, was able to reopen the refurbished Deichtorhallen in autumn 1989 with an inaugural exhibition entitled Illuminations. Art old and new has since been on show in successive exhibitions.

The best-known architectural highlight near the Deichtorhallen is the Chilehaus, a redbrick office block with an east-facing bow (the building is shaped like an ocean liner) featuring hundreds of windows. This impressive handiwork of Fritz Höger, dubbed the prince of redbrick architecture, was inaugurated in 1924 as the flagship of office blocks on the Alster and the Elbe. Hamburg is not exactly rich in architectural highlights of international repute, but no-one can deny it a sturdy style of office blocks that is all its own. There are several other fine examples in the vicinity of the Chilehaus.

En longeant le port:
du Quartier des Entrepôts au Marché
aux Poissons

44/45

The Warehouse City on the outskirts of the Free Port is, in contrast, a striking tribute to town planning. Coffee and tea, spices and nuts, Oriental carpets and much more have been stored here in bonded warehouses since 1888. Duty-free. In the branches of the Elbe that run alongside the Warehouse City barges are sometimes grounded in the sludge, but they are refloated on the next tide. The Warehouse City, with its towers and battlements in finest brick red, has long been desirable property. For apartments, studios, workshops, galleries, bars, shops… a social structure such as took root in the far from distant Admiralitätsstrasse in the early 1990s. It would be a transformation such as the old Deichstrasse on the banks of the Nikolaifleet underwent in the 1970s. The Great Fire of 1842 broke out in a warehouse on Deichstrasse. The late Gothic basilica of St Katharinen opposite the Warehouse City was spared from the flames in 1842 but razed to the ground in World War II air raids. St Katharinen has since been rebuilt, but the ruins of the Nikolaikirche on nearby Hopfenmarkt were left standing as a peace memorial.

Between Deichtorhallen and the Fischauktionshalle shipping is best encountered on the banks of the Elbe from Überseebrücke to Landungsbrücken, St Pauli. The smell of fish wafts from fish rolls nowadays, while ships are no longer built in the docks opposite, just refitted. Yet everyone who delights in the atmosphere of the Port still meets here, preferably from 6 a.m. on Sunday when the Fischmarkt is held in neighbouring Altona. Late risers see visitors to the fruit, fish, vegetable and flea market waving from side to side with trees or shrubs in their arms at about 10 a.m. Plants sell like hot cakes at the Fischmarkt. The Fischauktionshalle with its fine old iron arches, built in 1895 and renovated in 1982/84, is a market centre. Nothing is as rough, tough and dilapidated any more as it was in the 1970s. The new bars are trendy rather than original. As for the traces of history, the seamier side of the city, they are only to be found in a few nooks and crannies. The whole world used to meet down by the riverside – nowadays just everyone who is anyone in Hamburg.

En matière culturelle, toute génération a ses propres sentiers battus à travers la ville. Et le changement de génération s'opère de plus en plus rapidement. Avant 1980, personne n'aurait eu l'idée, après être parti de la Gare centrale et avoir fait un crochet par la Kunsthalle et la Kunstinsel, de tourner le dos à l'Alster et d'orienter ses pas vers le sud, en direction de l'Elbe, pour arriver, au bout de cinq kilomètres, au Marché aux Poissons à Altona. Aujourd'hui, ceci est un parcours de grande classe qui ne se retrouve, sous cette forme, dans aucune autre ville d'Allemagne. Un mélange de commerce et de culture. Il n'échappera d'ailleurs pas à l'observateur que l'on aime, ici, faire entrer la culture dans les halles désaffectées du monde commercial.

Les Markthallen et les Deichtorhallen, par exemple. Marchands de fruits, de légumes, de fromages, de charcuterie et de fleurs ont, depuis longtemps, délaissé ces magnifiques bâtiments anciens datant du début du siècle. De fait, les deux Deichtorhallen, restées longtemps désertes et totalement abandonnées à leur sort, entre le remblai du chemin de fer et la partie supérieure du port, devaient, à l'origine faire l'objet de démolition. C'est la «Fondation» de l'industriel Kurt Körber qui, finalement, assura la survie de l'ancienne Gare Berlinoise. Avec son exposition «Eclairages», qui eut lieu à l'automne 1989, le Suisse Harald Szeemann eut la primeur d'«éclairer» les Halles de son art. Depuis, des expositions y sont présentées, où alternent art ancien et art moderne.

L'art architectural atteint son apogée dans la Chilehaus, la Maison du Chili, située dans le voisinage des Deichtorhallen. Tel un navire, cet immeuble de briques rouges, percé de centaines de fenêtres, semble propulser sa proue angulaire en direction de l'est. Cet imposant bâtiment, érigé par le «Prince de la brique rouge», Fritz Höger, et inauguré en 1924, est en quelque sorte le vaisseau-amiral de tous les comptoirs commerciaux avoisinant l'Alster et l'Elbe. La Ville Hanséatique n'est pas particulièrement riche en merveilles architecturales de renommée mondiale. Mais personne n'ira lui contester le solide patrimoine culturel que représentent ces comptoirs. D'autres exemples, aussi beaux, de cet art, sont réunis à proximité de la Maison du Chili. Un des joyaux de l'urbanisme, que le visiteur ne saurait ignorer, est le quartier des entrepôts, la Speicherstadt, en bordure du port. Café, thé, épices, noix tropicales, tapis d'Orient, et bien d'autres marchandises encore y ont été entreposés depuis 1888. En franchise douanière. Les chalands, naviguant sur les bras ramifiés de l'Elbe qui sillonnent le Quartier des Entrepôts, sont parfois immobilisés par le limon et ne peuvent être remis à flots que par la prochaine marée montante.

Le Quartier des Entrepôts, couronné de créneaux et de petites tours du plus beau rouge-brique, est, depuis longtemps déjà, l'objet de nombreuses convoitises. De ceux qui voudraient y aménager des logements, des ateliers à vocation artistique ou artisanale, des galeries, des bistrots, des petits commerces, qui souhaitent en faire une structure sociale telle qu'elle réussit à s'imposer dès le début des années quatre-vingt-dix dans la rue Admiralitätsstraße toute proche, ou y procéder à des transformations comme celles qui eurent lieu dans la Alte Deichstraße bordant le Nikolaifleet au cours des années soixante-dix. C'est d'ailleurs dans l'un de ces entrepôts de la Deichstraße qu'éclata le grand incendie qui dévasta Hambourg en 1842. La basilique Ste Catherine, face au Quartier des Entrepôts, construite dans le style de la fin du gothique, avait alors été épargnée par le feu. Les bombes explosives de la deuxième guerre mondiale eurent finalement raison d'elle. Les ruines de l'église St. Nicolas, située près du Hopfenmarkt, l'ancien Marché au Houblon tout proche, furent maintenues telles qu'elles étaient à l'issue de la guerre, en signe d'exhortation à la paix.

Überseebrücke – Débarcadère de St. Pauli. C'est entre les Deichtorhallen et la Halle de la Marée que l'on peut le mieux goûter l'atmosphère propre à la navigation. L'odeur vient des sandwichs au poisson. En face, dans les docks, les navires ne sont plus construits, mais seulement remis en état. Cela n'empêche pas tous ceux qui aiment l'atmosphère du port de se rassembler à cet endroit. De préférence le dimanche, à partir de six heures du matin, lorsque, dans le quartier proche d'Altona, a lieu le Marché aux Poissons. Quand ils s'y rendent vers dix heures, les lève-tard reconnaissent les visiteurs de ce traditionnel marché aux poissons, aux légumes, et à la brocante, à leur silhouette vacillante d'arbres ou de buissons ambulants. En effet, les plantes vertes sont le «tube» du Marché aux Poissons.

Avec ses belles fenêtres cintrées, armées de fer, la Halle de la Marée, construite en 1895 et restaurée en 1982/84, est le centre du marché. Rien, ici, n'est plus délabré ni minable comme cela était le cas dans les années soixante-dix. Les nouveaux bistrots, fréquentés par un public «branché» sont plutôt chic que rustiques ou pittoresques. Et les traces de l'Histoire, la lie de la grande ville? On ne les rencontre plus qu'en de rares endroits. Dans les temps passés, le port était le lieu de rencontre de gens venus des quatre coins du monde. C'est, aujourd'hui, «tout» Hambourg qui s'y donne rendez-vous.

Die beiden Deichtorhallen mit einem Foto zu erfassen, ist schon ein Kunst-stück. Die kurz nach der Jahrhundert-wende errichteten Gebäude, zuerst Bahnhof, dann Markthallen, dienen heute als Ausstellungshallen für Kunst. Die Gebäude wurden von dem Industriellen Kurt Körber vor dem Verfall gerettet.

Getting both Deichtor halls on a single photo is quite an achievement. Built shortly after the turn of the century, the Deichtorhallen were first a railway station, then market halls, and now house art shows and exhibitions. In a dilapidated state, they were renovated with funds generously donated by local industrialist Kurt Körber.

Réussir à obtenir sur une seule photo les deux entrepôts Deichtorhallen, voilà qui relève d'un véritable tour d'adresse. Ces bâtiments, élevés juste après la fin du siècle, d'abord gare puis marchés couverts, tiennent lieu de salles d'expositions artistiques. Ces édifices échappèrent à la ruine grâce à l'industriel Kurt Körber.

Das Chilehaus ist das Flaggschiff der Hamburger Kontorhäuser. In den zwanziger Jahren von dem „Backsteinfürsten" Fritz Höger errichtet, gilt das Gebäude als gelungenstes Beispiel einer sehr hanseatischen Architektur. Rechts der Sprinkenhof.

The Chilehaus is the flagship of Hamburg's office blocks. Built in the 1920s by "redbrick baron" Fritz Höger, the building is considered to be the most successful example of a distinctly Hanseatic style of architecture. The building on the right is the Sprinkenhof.

La Maison du Chili est aux comptoirs de Hambourg ce que le vaisseau amiral représente pour une flotte. Edifié dans les années vingt par le «Prince de la brique» Fritz Höger, il est considéré comme l'exemple le plus réussi d'une architecture typiquement hanséatique. A droite, le Sprinkenhof.

Eine Hafenrundfahrt führt auch
durch die Fleete der Speicherstadt. Die
1888 errichteten Lagerhäuser im Frei-
hafen dienen als zollfreier Stauraum
für Teppiche, Gewürze, Kaffee, Tee.
Noch. Denn mancher sieht die attraktiven Backsteinhäuser schon als
nobles Zukunftsdomizil für Yuppie-
Wohnungen, Ateliers, Läden und
Restaurants.

A cruise round the canals that line
the Warehouse City is always part of
the guided tour of the Port of Hamburg by launch. Free Port warehouses
built in 1888, these attractive redbrick
buildings are bonded storage facilities
for carpets, spices, coffee and tea. As
yet. There are plans to convert them
into a luxury Docklands-style de-
velopment, with yuppie apartments,
studios, shops and restaurants.

Une visite du port comprend également un parcours conduisant à
travers les canaux de la «Ville des
Entrepôts» (Speicherstadt). Dans le
port franc, les docks dont la construction remonte à 1888 servent d'aire de
chargement pour les tapis, les épices,
le café et le thé. On ne sait combien
de temps encore, car d'aucuns voient
déjà ces ravissantes maisons de
briques devenir le quartier chic de
prédilection des yuppies, des ateliers,
des boutiques et des restaurants.

In der Deichstraße am Nikolaifleet brach 1842 der große Hamburger Brand aus. Die verschont gebliebenen Kontor-, Lager- und Wohnhäuser wurden ab Mitte der 70er Jahre restauriert. Heute kann man in der Deichstraße sehr gemütlich speisen und wohnen.

Deichstrasse, on the Nikolaifleet canal, was where the Great Fire of 1842 began. The offices, warehouses and town houses that survived the flames were restored from the mid-1970s. Deichstrasse today is a snug place to live.

C'est dans la Deichstraße, au bord du canal Nikolai que se déclara en 1842 le terrible incendie qui dévasta la ville de Hambourg. Les entrepôts, les comptoirs et les logements, épargnés alors, ont été restaurés dès le milieu des années 70. Aujourd'hui, la Deich-straße est un lieu de sortie et de résidence très agréable.

Hamburg hat mehr Brücken als Venedig. Die aus Sandsteinquadern erbaute Zollenbrücke stammt von 1633. Sie hat ihren Namen vom Zollhaus der Grafen von Schauenburg und wird 1355 erstmals urkundlich erwähnt.

Hamburg has more bridges than Venice. The Zollenbrücke, built of solid sandstone, dates back to 1633. It was named after the Zollhaus, or customs shed, of the Counts of Schauenburg, and was first mentioned in documents in 1355.

Hambourg compte plus de ponts que Venise. Le Zollenbrücke, fait de pierres de taille en grès, date de 1633. Ce pont tient son nom du bureau de douane des Comtes von Schauenburg et est mentionné pour la première fois en 1355.

Wie hier die „Royal Viking" machen
an der Überseebrücke Kreuzfahrt-
schiffe aus aller Welt fest. Die
„Fromme Helene" im Vordergrund
transportiert Überlebenswichtiges:
Rettungsringe.

Cruisers from all over the world, such
as the "Royal Viking", berth at Hamburg's Überseebrücke. The "Fromme
Helene", in the foreground, is carry-
ing a vital cargo of life-belts.

Comme ici le «Royal Viking», des
paquebots du monde entier amarrent
au Überseebrücke. Au premier plan,
la «Fromme Helene» transporte une
cargaison de première importance
pour la survie: des bouées de
sauvetage.

Jeden Sonntag in aller Herrgottsfrühe ist Fischmarkt. Hier gibt es alles, was das Herz begehrt. In der historischen Fischauktionshalle (links hinter der Laterne) hat das Kleinvieh sein nobles Domizil.

At the Fischmarkt, held every Sunday at the crack of dawn, everything any-one might possibly want is bought and sold. The fine old Fischauktions-halle, on the left behind the lamp-post, is where poultry and small animals are traded in style.

C'est tous les dimanches, aux auro-res, que se déroule le marché aux poissons. On y trouve tout ce que l'on peut désirer. Quant aux petits ani-maux, c'est dans la salle historique de Vente aux Enchères (à gauche derrière le réverbère) qu'ils ont élu leur noble domicile.

Lokalpatriotismus geriert sich in Hamburg eher dezent. Doch wenn es um das eigene Wohnquartier, den Kiez, den Vorort geht, ändert sich diese Zurückhaltung sofort. Hamburger sind sie alle. Aber jeder ist vor allem ein überzeugter Harburger, Wilhelmsburger, Bergedorfer, Volksdorfer, Pöseldorfer, Niendorfer oder Barmbeker, Wandsbeker, Eilbeker, Klein-Flottbeker oder Rahlstedter, Nienstedtener, Lokstedter. Der Unterschied zwischen Winterhude östlich der Alster und Harvestehude westlich der Alster war früher einmal ganz einfach. Östlich der Alster wohnte „man" nicht. Harvestehude war das feine Ufer. So genau nimmt es heute oder kann man es heute nicht mehr nehmen. Doch nach wie vor ist Hamburg wie ein Puzzle oder Allerleihrauh zusammengesetzt aus vielerlei Quartieren. Jedes hat seinen ganz eigenen Charakter, seine eigene Geschichte und sein eigenes Flair.

Am selbstbewußtesten wird in Altona auf Eigenständigkeit gepocht. Altona ist Hamburgs schöne Schwester. Durch Jahrhunderte waren sich diese Schwestern spinnefeind. Altona war dänisch, später preußisch und machte Hamburg Konkurrenz als Hafenstadt. Altona war liberaler als die große Schwester. Hugenotten, Juden und die während der Napoleonischen Besatzungszeit aus Hamburg vertriebenen Armen fanden hier Unterschlupf.

Das Selbstbewußtsein von Altona – über die Eingemeindung von 1937 können sich manche Altonaer heute noch aufregen – demonstriert das Rathaus. Von diesem klassizistischen Gebäude aus in alle vier Himmelsrichtungen auszuschwärmen, kann man nur jedem ans Herz legen. Im Süden der Hafen, im Norden die grüne Meile mit den Anrainern Altonaer Museum und Altonaer Theater, im Osten die Palmaille mit den klassizistischen Bauten des dänischen Architekten Christian Frederik Hansen, im Westen die Elbchaussee (siehe Kapitel Elbchaussee).

Das Arbeiterviertel von Altona, Ottensen, ist ein Beispiel für die weitgehend gelungene Sanierung eines Quartiers, in dem Industrie, Gewerbe und Wohnen dicht vermischt waren. In die alten Fabriken ziehen heute mit Vorliebe junge Menschen ein. Wenn die Hallen nicht längst von der Kultur besetzt sind. Oder von Kneipen und Restaurants. Modellcharakter hatte die 1971 gegründete Altonaer „Fabrik", die als Kommunikationszentrum in Hamburg und in ganz Deutschland viel nachgeahmt wurde.

Wer seine Stammkneipe in Ottensen hat, wird sich kaum je nach Pöseldorf verirren. In Pöseldorf sind die Wohnstraßen nobel und teuer und die Einkaufsstraßen nicht weniger. Pöseldorf – Schnöseldorf. Doch niemand wird diesem Nobelkiez am westlichen Alsterufer seine Schönheit absprechen. Gemischter ist es am Rothenbaum, wo die Universität mit über 40 000 Studenten und Studentinnen das Bild bestimmt und wo der Norddeutsche Rundfunk seinen Platz hat.

Es ist noch gar nicht so lange her, daß alle diese Viertel „but'n Dammtor", das heißt vor den Toren von Hamburg lagen. Ganz früher war hier Klosterland gewesen. Später bauten sich die wohlhabenden Hamburger ihre Sommerhäuser vor den Toren der Stadt. Erst die Gründerzeit machte viele Bürger so reich, daß sie sich ihr Wohnhaus im Grünen längs der Alster leisten konnten.

Eine stadtarchitektonische Spezialität sind in diesen und anderen Hamburger Vierteln die Terrassen. Das sind schmale Gassen zwischen den noblen Patrizierhäusern, wo in sehr viel kleineren und bescheideneren Unterkünften Handwerker und Dienstboten lebten. Heute sind diese Terrassen zum Wohnen begehrt, denn mehr als die Vorderhäuser sind sie vor Verkehrslärm geschützt.

Genau wie in Hamburg jeder auf sein Quartier schwört, hat auch jeder seinen Wochenmarkt. Goldbekufer, Isestraße, Turmweg, Großneumarkt, Hopfenmarkt, Flottbek, Blankenese. Damit verbindet sich für viele vor allem „meine" Apfelfrau, „mein" Käsemann, „mein" Blumenhändler, „mein" Eieronkel. So schwer es einem in dieser Stadt fällt, von der Elbe an die Alster zu ziehen oder umgekehrt, so ungern wird man hier seiner Apfelfrau untreu.

Local patriotism tends to be subdued in Hamburg, but when it comes to one's own part of town, one's own "quartier", as the French say, any such restraint is swiftly abandoned. Geographically speaking, everyone may be a Hamburger, but first and foremost they are Harburgers, Wilhelmsburgers, Bergedorfers, Volksdorfers, Pöseldorfers, Niendorfers, Barmbekers, Wandsbekers, Eilbekers, Klein-Flottbekers or Rahlstedters, Nienstedteners, Lokstedters – and proud of it. The difference between Winterhude east of the Alster and Harvestehude to the west used to be quite simple. It simply wasn't done to live east of the Alster. Harvestehude was the place to live. Nowadays this distinction is no longer taken so seriously, but Hamburg is still a jigsaw puzzle or potpourri made up of all manner of pieces or ingredients –"quartiers". Each has its own distinctive character, its own history and its own flair.

The most self-assured advocates of being somewhat different are the people of Altona, Hamburg's attractive little sister. For centuries the two sisters were barely on speaking terms. Altona was first Danish, then Prussian, and rivalled Hamburg as a port city. Altona had a reputation for being more liberal than its big sister. Huguenots, Jews and the poor who were expelled from Hamburg during the Napoleonic occupation found refuge here.

Altona's Rathaus is a monument to the self-esteem of a borough where some people are still disgusted at having been merged with Greater Hamburg in 1937. One can but recommend everyone to head to all four points of the compass from this splendid classicistic building. To the south there is the Port, to the north there is a stretch of green lined by the Altonaer Museum, the Altonaer Theater and others, to the east there is Palmaille and buildings in the classicistic style designed by the Danish architect Christian Frederik Hansen, to the west the Elbchaussee (which has a chapter to itself).

Ottensen, Altona's working-class area, is an example of a district where trade, industry and housing were closely intermingled that has been modernised, and to a large extent successfully. The factories of old, refurbished, are now popular as housing, especially with young people. Where the arts have not already taken root, that is, or bars and restaurants. The prototype was the Fabrik, founded in 1971, a "communication centre" that set a trend since emulated elsewhere in Hamburg and throughout Germany.

People whose "local" is a bar in Ottensen are unlikely ever to set foot in Pöseldorf, where housing is up-market and expensive – as is the shopping. Pöseldorf's "toffs" may not be to everyone's liking but no-one can deny that this posh suburb on the west bank of the Alster is most attractive. Neighbouring Rotherbaum is more of a mixed bag, predominated by the university, with its 40,000 students, and the home of Norddeutscher Rundfunk.

It isn't all that long since this part of Hamburg was beyond Dammtor, one of the city's gates, and thus beyond the pale. In bygone centuries it was monastery property. Then well-to-do Hamburg merchants started to build summer homes here outside the city limits. In the late 19th century years of rapid expansion many Hamburg people made enough money to afford a home of their own with a garden running down to the Alster.

Here and in other parts of Hamburg terraces are an architectural speciality. They are down narrow alleys between and behind the larger, more desirable residences – three-storey blocks of smaller, plainer apartments for artisans and families "in service". Today the terraces, like London's mews, are extremely popular, cut off from the noise of traffic by the houses in front.

Just as everyone in Hamburg is a staunch supporter of his part of town, everyone swears by the local street market. There are Goldbekufer, Isestrasse, Turmweg, Grossneumarkt, Hopfenmarkt, Flottbek, Blankenese and more. Many mainly associate them with "their" apple lady, "their" cheese man, "their" flower seller, "their" egg man. In Hamburg people find it hard to move from the Elbe to the Alster or vice-versa, but they are just as reluctant to change their apple seller.

A Hambourg, l'esprit de clocher se fait plutôt discret. Mais lorsqu'il y va du quartier, de la banlieue où l'on habite, cette discrétion se dissipe instantanément. Hambourgeois, ils le sont tous. Mais chacun d'eux est, avant tout, un habitant convaincu de Harburg, de Wilhelmsburg, de Bergedorf, de Volksdorf, de Pöseldorf, Niendorf ou Barmbek, de Wandsbek, d'Eilbek, de Klein-Flottbek ou de Rahlstedt, Nienstedten ou Lokstedt. La différence existant entre Winterhude, à l'est de l'Alster, et Harvestehude, à l'ouest de ce même lac, était autrefois, on ne peut plus simple. Il n'était pas de mise d'habiter à l'est de l'Alster, Harvestehude représentait la rive chic. Aujour d'hui, cette distinction n'est plus ou ne peut plus être aussi rigoureusement faite. Semblable à un puzzle, ou à la princesse des contes de fée, dissimulant sa richesse sous de multiples déguisements, Hambourg est, tout comme par le passé, composée de quartiers fort hétérogènes. Chacun a son propre caractère, sa propre histoire, sa propre atmosphère.

C'est Altona qui se prévaut avec le plus de fierté de son autonomie. Altona est une sœur de Hambourg, belle, comme elle. A travers les siècles, pourtant, ces sœurs se sont cordialement détestées. Altona fut danoise, puis prussienne, et, en sa qualité de ville portuaire, faisait concurrence à Hambourg. Altona était plus libérale que sa grande sœur. C'est aussi chez elle que trouvèrent refuge les Huguenots, les Juifs ainsi que les pauvres chassés de Hambourg pendant la période d'occupation napoléonienne.

L'Hôtel de ville d'Altona témoigne de la fierté des habitants de ce quartier et du sentiment de leur propre valeur – certains même s'insurgent aujourd'hui encore de son intégration à la municipalité de Hambourg. On ne peut, pourtant, que recommander chaudement à tout visiteur de partir de ce bâtiment de style néo-classique et de rayonner dans toutes les directions. Vers le sud, sur le chemin du port, vers le nord en suivant le parcours de verdure, bordé du Musée et du Théâtre d'Altona, vers la Palmaille, à l'est, une avenue aux bâtiments néo-classiques, œuvres de l'architecte danois Christian Frederik Hansen, ou vers l'ouest, afin de rejoindre l'Elbchaussee (Voir le chapitre sur cette rue).

Le quartier ouvrier d'Altona, Ottensen, est un exemple de rénovation urbaine en grande partie réussie, concernant un quartier où l'industrie, le commerce et l'habitat étaient étroitement liés. Les anciennes fabriques sont, aujourd'hui, les lieux de prédilection des jeunes Hambourgeois qui cherchent à y emménager. Dans la mesure où celles-ci n'ont pas déjà été investies par la culture. Ou par des bistrots et restaurants. La Fabrique d'Altona qui, conçue en tant que centre de communication, vit le jour en 1971 et fut très souvent imitée tant à Hambourg que dans toute l'Allemagne, en raison précisément de ce caractère, joua un rôle d'avant-garde.

Il est évident que celui qui a son bistrot habituel à Ottensen n'ira pas s'égarer à Pöseldorf. Les rues y sont des lieux de résidence sélect et hors de prix, de même que les passages où sont installés les commerces. Pourtant, personne ne contestera la beauté de ce quartier élégant et cossu, situé sur la rive ouest de l'Alster. L'habitat est plus composite dans le quartier de Rothenbaum auquel l'université et ses 40 000 étudiants et étudiantes a donné son empreinte et où siège la Maison de la Radio de l'Allemagne du Nord.

Il n'y a pas si longtemps de cela, tous ces quartiers étaient situés extra muros, «but'n Dammtor», comme l'expression le voulait. A une époque encore plus reculée, les terres appartenant à un monastère s'étendaient sur cet emplacement. Plus tard, les Hambourgeois aisés firent construire leurs résidences d'été aux portes de la ville. Ce n'est qu'après 1870, alors que les années de spéculation eurent enrichi de nombreux citoyens, que ceux-ci purent se permettre de bâtir leur demeure dans la verdure, le long de l'Alster. Les «terrasses» que l'on trouve dans ces quartiers de Hambourg et dans certains autres également, sont une singularité architectonique en matière d'urbanisme. Ce sont des ruelles étroites, sises entre les élégants hôtels particuliers, ruelles où vivaient autrefois les artisans et les gens de maison, dans des logements exigus et fort modestes. Aujourd'hui, ces «terrasses» sont très recherchées en tant que logements, car elles sont mieux protégées du bruit de la circulation que les maisons donnant sur la rue. De même que tout Hambourgeois ne jure que par son quartier, chacun a aussi son marché bien à lui. Goldbekufer, Isestraße, Turmweg, Großneumarkt, Hopfenmarkt, Flottbek, Blankenese. Beaucoup y ont «leur» marchande de pommes, «leur» fromager, «leur» marchand de fleurs, «leur» crémier. Il est tout aussi difficile pour un Hambourgeois de faire des infidélités à sa marchande de pommes que de quitter les quartiers de l'Elbe pour aller habiter au bord de l'Alster ou inversement.

Vor dem prächtigen Altonaer Rathaus
reitet Wilhelm I. Im Rathaus ist ein
Ensemble der Künstlerin Anna Oppermann zu sehen: „Pathosgeste". Bei
den Giebelfiguren legte der Bildhauer
Ernst Barlach mit Hand an. Unweit
von hier geht es weiter zu einem
Gedenkstein von 1989 des Amerika-
ners Sol LeWitt für die zerstörte
jüdische Gemeinde Altonas und zum
Altonaer Museum.

Kaiser Wilhelm I is here seen on
horseback in front of the magnificent
Rathaus in Altona. Inside the building is a group of figures by Anna
Oppermann entitled "Pathetic
Gesture". Ernst Barlach was one of
the sculptors who worked on the
figures that line the Rathaus gables.
A stone's throw away, toward the
Altonaer Museum, is a memorial to
the destruction of the Jewish
community in Altona designed by US
sculptor Sol LeWitt and inaugurated
in 1989.

Devant le somptueux Hôtel de Ville
se dresse une statue équestre de
Guillaume Ier. A l'intérieur, on peut
admirer un ensemble que l'on doit à
l'artiste Anna Oppermann, intitulé
«Geste pathétique». Le sculpteur
Ernst Barlach a participé à la
réalisation des figures du fronton.
Non loin de là: une stèle commémorative de l'anéautissement de la
communante juive créée par l'améri-
cain Sol LeWitt et un plus loin encore,
le musée d'Altona.

Hier am Woldsenweg wohnt es sich hanseatisch nobel. Im Stadtteil Eppendorf gibt es nicht nur eine Fülle von Möglichkeiten für gehobenes bürgerliches Wohnen, sondern auch die dementsprechenden Geschäfte und Restaurants.

Woldsenweg in Eppendorf is a high-class residential area in a part of Hamburg where there is not only a wide range of up-market homes but the matching shops and restaurants too.

Les résidences du Woldsenweg sont l'expression même du chic hanséatique. Le quartier d'Eppendorf foisonne non seulement de demeures bourgeoises, il offre aussi des magasins et des restaurants du même standing.

Im Osten von Hamburg liegen die Vierlande mit einer traditionsreichen bäuerlichen Kultur. Ein Ausflug zu den alten Bauernhäusern — wie hier das Freilichtmuseum Rieck-Haus — und Dorfkirchen lohnt sehr. Auch heute noch werden die Hamburger Märkte mit Blumen, Obst und Gemüse aus den Vierlanden beschickt.

Vierlande, with its traditional farming community and way of life, is just to the east of the city. A look at the old farmhouses — like the "Freilichtmuseum Rieck-Haus" — and village churches is well worthwhile. The area's market gardeners still sell a wide range of flowers, fruit and vegetables at Hamburg's street markets.

A l'est de Hambourg s'étendent les Vierlande, région de culture agricole riche de traditions. Une excursion dans les vieilles fermes — ici le musée «Rieck-Haus» — et les églises des villages est vivement conseillée. Aujourd'hui encore, la région des Vierlande approvisionne en fleurs, fruits et légumes les marchés de la ville de Hambourg.

Die Schauseite des Bergedorfer Schlosses demonstriert norddeutsche Backsteingotik. Informationen über die Kulturgeschichte des 1937 eingemeindeten, 1162 bereits urkundlich erwähnten Ortes im Osten von Hamburg gibt das Museum im Schloß.

The front view of Bergedorf Schloss is a fine example of the north German redbrick Gothic style. The castle houses a museum that tells visitors all about the history of Bergedorf, which was first mentioned in 1162 and incorporated as a Hamburg borough in 1937.

La façade du château de Bergedorf atteste l'art gothique de brique rouge propre à l'Allemagne du Nord. Le musée du château donne des informations concernant l'histoire de cet endroit situé à l'est de Hambourg, rattaché à la commune en 1937, mais figurant dès 1162 sur les registres.

Diese Prunkpforte vor dem Bauern-
haus im Alten Land (Ortschaft
Nincop) wurde 1683 errichtet. Die
Obstbauern in der von Holländern
kultivierten Landschaft südlich der
Elbe, heute zu Hamburg gehörig,
waren ehemals reich. Das ist noch an
ihren Häusern abzulesen. Ihre
Trachten, ihre Wohnkultur, ihr
Schmuck sind im Altonaer Museum
zu besichtigen.

This magnificent gateway leading to
a farmhouse in Nincop in the Altes
Land was built in 1683. Fruit-growers
south of the Elbe, in an area first
developed by Dutch farmers and now
a part of Hamburg, used to be rich.
Their gorgeous farmhouses are still
in immaculate condition. Their
costumes, jewellery and way of life
are on show at the Altonaer Museum.

Le magnifique portail, devant cette
ferme située dans le Altes Land, dans
la localité de Nincop, a été réalisé en
1683. Les paysans qui pratiquaient la
culture fruitière dans cette région
cultivée par les Hollandais au sud de
l'Elbe – région qui appartient
aujourd'hui à Hambourg – étaient
autrefois riches. Leurs maisons en
sont encore la preuve vivante. Leurs
costumes, leurs intérieurs, leurs
bijoux, sont exposés au musée
d'Altona.

Die Liebe zum eigenen Quartier schlägt sich auch in der Kultur nieder. Die zahlreichen Privattheater haben jeweils ihre eigene Gemeinde. Es gibt nicht ein Publikum, sondern sehr viele verschiedene. Es gibt nicht eine Szene, sondern etliche. Manchmal ist es schade, daß die eine so wenig von der anderen weiß. Der nicht sehr extrovertierte Charakter dieser Stadt bewirkt, daß, anders als in Berlin, München oder Köln/Düsseldorf, vieles in der Stille stattfindet. In Hamburg läßt sich ungestört gut arbeiten, sagen die Künstler. Nur berühmt werden sie hier nicht. Die Kulturtradition an Elbe und Alster ist bürgerlich und nicht fürstlich. Sie ist protestantisch geprägt und nicht katholisch. Aber es gibt sie, und es lohnt sich, davon zu reden.

In Hamburg entstand vor gut 300 Jahren Deutschlands erstes festes Opernhaus. Die Staatsoper am Dammtor zählt heute zu den weltweit besten Häusern. An der Alster wurde 1817 Deutschlands erster Kunstverein gegründet. Von kultursinnigen Bürgern. Lessing arbeitete hier im 18. Jahrhundert am Deutschen Nationaltheater und schrieb die „Hamburgische Dramaturgie". Johannes Brahms wuchs in Hamburg auf und erhielt leider nicht die ihm gebührende Stelle, so daß er nach Wien abwanderte. Alfred Lichtwark, der „Vater der Kunstpädagogik", machte die Kunsthalle um 1900 zu einem bedeutenden Museum. Gustaf Gründgens ist als Nachkriegsintendant des Deutschen Schauspielhauses zur Legende geworden. Ivan Nagel als einer seiner Nachfolger hat das auch schon bald erreicht. Und daß Boy Gobert nicht nur der „Amüsieronkel" vom Thalia, sondern ein exzellenter Theatermann war, wissen die Hamburger post festum auch zu würdigen.

Es gibt so eine Art post-festum-Regel in der Kultur an Alster und Elbe. Hinterher – zu spät – wird für gut befunden, was gut war. Dieser moderaten, allzu unterkühlten Haltung, die schon manchen Künstler vergrault hat, steht auf der anderen Seite manchmal eine Begeisterung gegenüber, die die Kultur mehr trägt als in anderen Städten. Zum Beispiel Kampnagel und die schöne, chaotische Zeit Anfang der achtziger Jahre. Plötzlich hatten alle Künste auf dem weiten Fabrikgelände in Winterhude ein Domizil gefunden, in dem sie nebeneinander und miteinander arbeiten konnten. So unorthodox wie möglich. Das Publikum folgte ihnen treu durch alle Höhen und Tiefen. Einmal sogar einen ganzen Tag und eine Nacht lang ohne Unterlaß. Auf der Stationenreise durch James Joyce' Roman „Ulysses", die zugleich eine Tages- und Nachtfahrt durch die Geschichte einer Fabrik war. Dieser Aufbruch der Kultur in alternative, neue Räume hat den traditionellen Orten der Kunst durchaus nicht geschadet. Im Gegenteil. Die gravitätische Haltung bürgerlicher Kultur wurde weitgehend ad acta gelegt, und man gebärdete sich in den Traditionshäusern manchmal alternativer als in der Off-Szene.

Leise, aber einschneidend haben sich auch die Museen der Hansestadt seit den siebziger Jahren verändert. Es darf laut gesprochen werden, und die angegliederten Restaurants sind zu munteren Treffpunkten geworden. Wer in der Kunsthalle, Hamburgs bedeutendem Museum, durch die Säle der Romantik, durch die gute Sammlung expressionistischer Bilder gegangen ist und den neuen, Joseph Beuys gewidmeten Raum gesehen hat, kann sich im Café Liebermann ausruhen. Das Museum für Kunst und Gewerbe, das Völkerkundemuseum, das Museum für Hamburgische Geschichte, das Museum für Archäologie, das Altonaer Museum. Jedes Haus hat einen sehr eigenen Charakter und seine ganz eigene Gemeinde von Liebhabern. Wobei es vorkommt, daß der treue Besucher des Altonaer Museums in seinem ganzen Leben noch nie in der Kunsthalle war.

Eine treue Klientel hat sich in allerkürzester Zeit auch das Literaturhaus an der Alster erworben. Abends bei den Veranstaltungen und sonntagmorgens beim Frühschoppen in dem alten Patrizierhaus. Der Erfolg dieser Institution straft den Kleinmut Lügen, mit dem oft behauptet wird, Hamburg sei ein schlechtes Pflaster für Literatur, Kunst, Musik und Theater. Wer sich neugierig auf den Weg macht, kann das Gegenteil erleben.

Love of one's own part of town is reflected in the arts. Hamburg's many commercial theatres each have their own patrons. There are many different publics, not just one. There is not just one "scene" but several. At times it is a pity that one knows so little about the other. Hamburg cannot, by any stretch of the imagination, be called an extraverted city, which is why much that goes on does so on the quiet, unlike in Berlin or Munich or Cologne or Düsseldorf. In Hamburg, or so artists say, you can get on with your work undisturbed, but you aren't going to gain fame. Cultural traditions on the Alster and the Elbe are bourgeois rather than princely, Protestant not Catholic. But they do exist – and deserve a mention.

Germany's first opera house was founded over 300 years ago in Hamburg. The Staatsoper near Dammtor is one of the best in the world. Germany's first "Kunstverein", precursor of today's art galleries and museums, was founded by Hamburg art-lovers in 1817. Lessing worked at the Deutsches Nationaltheater in the 18th century and here wrote his "Hamburgische Dramaturgie". Brahms grew up in Hamburg but failed to find a post that befitted his talent as a musician and composer and moved to Vienna instead. Alfred Lichtwark, the "founding father of art education", made the Kunsthalle a major museum at the turn of the century. Gustaf Gründgens was a legendary post-war manager of the Deutsches Schauspielhaus. Ivan Nagel, one of his successors, soon achieved the same distinction. And the people of Hamburg are well aware, in retrospect, that Boy Gobert was not just a most entertaining actor but a first-rate manager at the Thalia-Theater.

This retrospective view is an established fact in the arts on the Alster and the Elbe. Later, too late, people realise how good something was. This somewhat subdued attitude, which has sent many a disgusted artist packing, must be seen in the context of an enthusiasm that at times is more supportive of the arts than in other cities. Kampnagel and the great but chaotic early 1980s are a case in point. All of a sudden the arts found a new home in the wide expanses of a disused factory in Winterhude, a home where they could work alongside and together with each other. In as unorthodox a manner as possible. The public loyalty supported them through thick and thin. On one occasion round the clock: a continuous reading of Joyce's "Ulysses", the tale of a day and a night in the history of a factory.

This venture by the arts into new and alternative terrain has done traditional venues no harm whatever. Anything but. The pomp and circumstance of the bourgeois arts have been largely laid to rest, and traditional venues have at times been more alternative in outlook than the off.

The city's museums have undergone quiet but sweeping changes since the 1970s. Visitors can talk out loud, and museum restaurants are a popular meeting-place. Visitors to the Kunsthalle, Hamburg's premier museum, can walk round the Romantics, see a fine collection of Expressionist art and admire the new room dedicated to Joseph Beuys, then rest their legs in the Café Liebermann. The Museum of Arts and Crafts, the Museum of Ethnology, the Museum of Hamburg History, the Museum of Archaeology and the Altonaer Museum each have a style – and a public – of their own. A loyal and regular visitor to the Altonaer Museum may never in his entire life have been to the Kunsthalle.

The Literaturhaus has built up a loyal clientele in the shortest of times. It holds evening events and Sunday morning specials in a fine old town house overlooking the Alster. Its success story belies the faint-hearted claim that Hamburg is fallow ground for literature and art, music and the stage. The inquisitive seeker will soon find that the opposite is true.

L'attachement que voue le Hambourgeois à son propre quartier se retrouve également dans le domaine culturel. Les nombreux théâtres ont, chacun, leur communauté d'adeptes. Il n'existe pas «un» public, mais de nombreux et très divers publics. Il n'y a pas une seule «scène culturelle», mais des pléiades de scènes. Cependant, il est dommage qu'elles s'ignorent parfois les unes les autres. Le caractère peu extroverti de cette ville fait en sorte que, à la différence de Berlin, Munich ou Cologne/Düsseldorf, beaucoup de choses se passent en sourdine. A Hambourg, on peut travailler en paix, disent les artistes. Seulement, ce n'est pas là qu'ils acquerront la célébrité. Autour de l'Elbe et de l'Alster, la tradition culturelle est bourgeoise et non princière. Elle est protestante et non catholique. Mais elle existe et en parler vaut la peine.

C'est il y a plus de cent ans que le premier Opéra fut institué à Hambourg. Le Staatsoper, à Dammtor, compte aujourd'hui parmi les meilleurs du monde. La première «association artistique» d'Allemagne fut créée sur les bords de l'Alster en 1817, par des Hambourgeois épris d'art. Au XVIIIe siècle, Lessing travailla pour le «Deutsches Nationaltheater» et écrivit la «Dramaturgie Hambourgeoise». Johannes Brahms passa sa jeunesse à Hambourg mais, n'ayant pas obtenu la fonction qui aurait dû lui être attribuée, il émigra à Vienne. C'est grâce à Alfred Lichtwark, le «père de la pédagogie en matière artistique» que la Kunsthalle devint, en 1900, un musée important. La célébrité de Gustaf Gründgens qui fut directeur du Schauspielhaus dans la période d'après-guerre, est légendaire. Ivan Nagel, l'un de ses successeurs, avait, lui aussi, presque atteint ces cimaises. Et que Boy Gobert n'ait pas été seulement le bouffon et l'amuseur du Thalia, mais un excellent homme de théâtre, c'est ce qu'admettent les Hambourgeois «post festum».

Sur le plan culturel, Hambourg obéit, en effet, à une sorte de loi «post festum». Ce n'est qu'après coup, trop tard, que l'on déclare bien ce qui était de qualité. A cette attitude, prudente et par trop réservée, qui a d'ailleurs découragé plus d'un artiste, s'oppose parfois, il est vrai, un enthousiasme dont l'effet stimulant sur la vie culturelle n'a d'équivalent dans aucune ville d'Allemagne.

Cela vaut, par exemple, pour le théâtre Kampnagel qui connut une période d'activités brillante, bien que chaotique, au début des années quatre-vingts. Tous les arts avaient alors trouvé abri sur le vaste terrain de l'ancienne cartoucherie de Winterhude, où il leur fut possible tant de cohabiter que d'œuvrer en commun dans la plus grande liberté d'expression et l'anticonformisme le plus parfait. Le public les suivit fidèlement à travers les hauts et les bas qu'ils connurent. Une fois même, pendant toute une journée et toute une nuit, sans interruption, sur les traces d'«Ulysse», de James Joyce, parcourant avec lui les étapes d'un voyage qui fut en même temps une pérégrination d'un jour et d'une nuit à travers l'histoire d'une usine.

Cette envolée de la vie culturelle et son incursion dans de nouveaux locaux, n'a aucunement nui aux hauts lieux traditionnels de l'art. Bien au contraire. L'attitude olympienne dans laquelle se complaisait auparavant la culture bourgeoise fut, en grande partie, abandonnée et les temples de la tradition affichèrent parfois même plus d'audace et d'irrévérence que les nouveaux lieux de la culture «off». C'est sans bruit, mais en profondeur, que les musées de la Ville Hanséatique se sont métamorphosés depuis les années soixante-dix. On peut désormais s'y entretenir à haute voix, et les restaurants dont ils sont dotés sont devenus des lieux de rencontre où règne une grande animation. Celui qui, à la Kunsthalle de Hambourg, le plus important musée de la ville, vient de traverser les salles où sont exposées les œuvres de la période romantique, a admiré l'excellente collection de peintures expressionnistes et vu la nouvelle salle consacrée à Joseph Beuys, peut se reposer au Café Liebermann. Musée des Arts et Métiers, Musée ethnologique, Musée de l'Histoire de Hambourg, Musée archéologique, Musée d'Altona: chacun a son caractère bien à lui et son cercle d'amateurs. Il est même tout à fait possible que le fidèle visiteur du Musée d'Altona n'ait jamais mis les pieds de sa vie à la Kunsthalle.

La maison de la Littérature, située près de l'Alster, a également su se faire une clientèle de fervents, venant assister, le soir, aux manifestations culturelles et le dimanche matin au «Frühschoppen», dans l'ancien hôtel particulier.

Le succès de cette institution inflige un démenti aux esprits timorés prétendant que Hambourg est peu propice à la littérature, à l'art, à la musique et au théâtre.

Qui s'arme de curiosité et part en chemin, peut facilement se convaincre du contraire.

Die zeitgenössische Kunst wird ins rechte Licht gerückt, seit Uwe M. Schneede 1991 die Leitung der Hamburger Kunsthalle übernahm. Aber auch Spitzenwerke des Expressionismus und die prächtige Sammlung von Gemälden Caspar David Friedrichs und Philipp Otto Runges sind neu zu entdecken.

Modern art has come into its own once more since Uwe M. Schneede took over as head of the Hamburg Kunsthalle in 1991. But major works of Expressionist art and the superb collection of paintings by Caspar David Friedrich and Philipp Otto Runge are not to be missed either.

Depuis que Uwe M. Schneede a pris en charge, en 1991, la direction du musée de Hambourg (Kunsthalle), l'art contemporain est de nouveau vu sous son vrai jour. Mais on peut également y redécouvrir des grandes œuvres de l'art expressionniste ainsi que les magnifiques collections de tableaux de Caspar David Friedrich et de Philipp Otto Runge.

Die „Destille" im Museum für Kunst und Gewerbe befriedigt beides: Augen- und Eßlust. Ein köstliches Refugium nach dem Gang durch die vielfältigen Schauräume des Hauses, in denen Kostbarkeiten von der Antike bis zur Gegenwart ausgestellt sind und wo unterm Dach eine hervorragende Fotosammlung zu entdecken ist.

The "Destille" in the Museum of Arts & Crafts is a welcome sight for both sore eyes and an empty stomach. It is a treasure trove of fine food and drink for visitors to a museum that features exhibits from the Ancient World to the present day, including an outstanding top-floor photographic collection.

La «Destille», à l'intérieur du Musée des Arts et Métiers, flatte à la fois les yeux et le palais. Ce local propose un délicieux refuge au visiteur qui vient d'arpenter les diverses salles dans lesquelles sont exposés des objets précieux de l'Antiquité jusqu'à nos jours; ce musée abrite aussi une excellente collection de photographies.

Eine Schwimmhalle an der Reeperbahn. Türkisblau und menschenleer. Erfüllt nur von ohrenbetäubendem Wasserrauschen, dem Tosen der Niagarafälle vom Tonband. Diese Installation gehörte zu der wichtigen Ausstellung „Künstlerräume in Hamburg" 1983. Der weltberühmte Kiez St. Pauli mit der sündigsten Meile der Erde macht Kultur?

Anfang der achtziger Jahre war die Reeperbahn ziemlich heruntergekommen. Der „Kunstraum" in der alten Schwimmhalle. Das Gastspiel des Schauspielhauses im Operettenhaus am Ende der Reeperbahn. Das wirkte damals wie eine Stippvisite von Königskindern im Schmuddelkindermilieu. Seitdem hat sich die Szene gewaltig geändert. Heute ist die sündige Meile auch ein Pflaster für Kulturschwärmer. Die harte Prostitution wurde in wenige Ecken abgedrängt. Man amüsiert sich anders auf der Reeperbahn. Zum Beispiel bei „Schmidt". In dem ehemaligen Kino ist man nicht pingelig mit der Bezeichnung für die Art von Unterhaltung, die hier seit 1988 über die Bühne tobt, verantwortet von Corny Littmann und Ernie Reinhardt. Transvestiten-Shows, Kleinkunst, Cabaret. Erlaubt ist, was gefällt.

Symptomatisch für die Veränderung der Reeperbahn ist nebenan die Umwandlung des „Zillertal". Früher eine häßliche Bierschwemme, jetzt das einfühlsam restaurierte Show-Theater „Tivoli". Dazu gehört auch das „Museum St. Pauli", in dem nicht nur Erinnerungsstücke von Hans Albers, sondern auch die Beatles, die in den sechziger Jahren an der Reeperbahn ihren Ruhm begründeten, ein Domizil gefunden haben.

„Wohl keine Stadt im deutschen Reich hat einen Fleck Erde aufzuweisen, der so reich an Vergnügungen und Sehenswürdigkeiten wäre als St. Pauli," ist in einem Stadtführer von 1891 zu lesen. „Spielbudenplatz" heißt ein Teil der Reeperbahn. Und sagt damit genau, was hier los war. Der „Spielbudenplatz" lag im 19. Jahrhundert „draußen vor der Tür", das heißt zwischen dem Hamburger Millerntor und dem Altonaer Nobistor, die heute noch Anfang und Ende der Reeperbahn markieren. Hier siedelte sich alles an, was die Hamburger und Altonaer in ihren Städten nicht dulden mochten. Der prosperierende Hafen in der Nachbarschaft brachte die Kundschaft, die willens war, so richtig auf den Putz zu hauen. Und sicherlich dachte – wie heute – niemand an die redliche Tradition der Straße, an die Zunft, die ihr den Namen gab. Nämlich an die Zunft der Reepschläger, die hier auf langer, breiter Bahn ihre Taue und Seile gedreht haben.

Wer sich früher nicht selber auf die Reeperbahn traute, konnte wenigstens im Kino dabei sein. Seit es Filme gibt, ist dieser Kiez einer der beliebtesten Drehorte. Straßen wie die Große und die Kleine Freiheit oder die Davidstraße wurden durch die Filme mit Hans Albers berühmt. In der Großen Freiheit wird heute mehr Musik als Liebe gemacht und das exklusivste Ziel in der Davidstraße ist das „Cuneo", Hamburgs ältestes italienisches Restaurant. Wem die Spaghetti nicht schmecken, der genießt wenigstens das Sehen und Gesehenwerden im Knoblauchdunst dieses Lokals, das von der Familie Cuneo jetzt schon in dritter Generation geführt wird.

Das rote Backsteingebäude am Anfang der Davidstraße, das mit seinem prächtigen Giebel ein ganz reputierliches Bürgerhaus zu sein scheint, ist die Davidswache, 1913/1914 nach Plänen von Fritz Schumacher errichtet. Die Polizisten, die hier Dienst tun, sind allnächtlich reichlich beschäftigt. Denn zum Unschuldslamm hat sich der Kiez nun doch nicht gemausert. Diese Piste für Nachtschwärmer ist ein ruppiges, munteres, schräges und immer noch ganz schön heißes Pflaster. Wer genau hinschaut, kann die Drogenszene in den dunklen Ecken des Viertels nicht übersehen. Die kleinen und großen Gangster von St. Pauli machen immer noch Schlagzeilen in den Zeitungen. Auf dem Kiez lebt viel nebeneinander: kleine Leute, große Leute, Arme, Reiche, Sieger und Verlierer im Lebenskampf. Von den 35 000 Einwohnern sind 18 000 Ausländer – der größte Ausländeranteil in Deutschland überhaupt.

Morgens beim Brötchenholen wirkt der Kiez manchmal wie ein ganz und gar kleinbürgerliches Viertel in Pantoffeln. Nachts ist St. Pauli eine überschminkte Schöne, die viele Sprachen spricht und sehr nach Pommes frites riecht.

A swimming baths on the Reeperbahn. Turquoise blue and empty of people. Filled only by the earsplitting rush of water, a tape recording of the Niagara Falls. This installation formed part of a major 1983 exhibition, Art Spaces in Hamburg. Are St Pauli and the Reeperbahn, synonymous with the off-Reeperbahn red light district, now in the art trade?

In the early 1980s the Reeperbahn did indeed look somewhat dilapidated. The "art space" in the old swimming baths or a guest performance by the Schauspielhaus in the Operettenhaus on the Reeperbahn had much in common with royal visits to the wrong side of the tracks. The scene has since undergone a tremendous change. The Reeperbahn today is de rigueur for arts aficionados. Prostitution has been displaced, sent packing to its nooks and crannies. A night out on the Reeperbahn is not what it used to be. At Schmidt, for instance, a converted cinema, proprietors Corny Littmann and Ernie Reinhardt have catered since 1988 for widely-ranging tastes in entertainment. From drag shows to cabaret, anything goes that is popular.

The conversion of Schmidt's next-door neighbour, the erstwhile Zillertal beer hall, was symptomatic of the change the Reeperbahn has undergone. It is now the Tivoli, a painstakingly restored music hall. Then there is the St Pauli Museum, which features both mementoes of local film star Hans Albers and memorabilia of the Beatles, who laid the groundwork for their fame on the Reeperbahn in the early 1960s.

"Few cities in the German Reich", claimed a city guide of 1891, "can boast so many sights and so much entertainment in one place as Hamburg has in St Pauli." Part of the Reeperbahn bears the name "Spielbudenplatz" — and thereby hangs a tale. A "Spielbude" is a gaming establishment, and in the 19th century the Reeperbahn lay between Millerntor in Hamburg and Nobistor in Altona, which are still the opposite ends of the Reeperbahn. It was the haunt of everything and everyone Hamburg and Altona preferred not to have within their respective city limits. The flourishing nearby Port of Hamburg brought the custom, sailors who were only too happy to paint the town red. And no-one will have stopped to think, any more than they do today, about the honest ropemakers who gave the street its name.

Those who wouldn't have dared to patronise the Reeperbahn could at least see what it was like on the silver screen. St Pauli has been a favourite location since pictures learnt to walk. Streets such as Grosse and Kleine Freiheit and Davidstrasse were made famous by films starring Hans Albers. In the Grosse Freiheit today more music is made than love, while the most exclusive nightspot in Davidstrasse, is Cuneo, Hamburg's oldest Italian restaurant. If you don't like the pasta you can be sure to savour seeing and being seen in the haze of garlic of a restaurant that is now run by the third generation of the Cuneo family.

The redbrick building with its splendid gables on the corner of Davidstrasse and the Reeperbahn looks for all the world as though it were a respectable town house. But it houses the Davidwache, the local police station, and was built in 1913/14 to plans drawn up by Fritz Schumacher. The police officers who work here do a hard night's work. St Pauli is still far from being as innocent as a new-born baby. As a favourite with night-outers it is a rough, tough, action-packed area where much that goes on is not strictly legal. On closer scrutiny you can hardly fail to see the narcotics scene in the darker corners, while St Pauli gangsters large and small still feature in newspaper headlines. Residents are a mixed bag: ordinary folk and big shots, rich and poor, winners and losers in the game of life. Of the 35,000 who live in St Pauli 18,000 are aliens – the highest proportion of foreign residents in Germany.

Slip out to the baker's for your bread rolls in the morning and you might be excused for imagining that St Pauli was a petit bourgeois area where people went out in slippers. But St Pauli by night is made up to the eyeballs, multilingual – and smells of French fries.

Une piscine couverte sur l'avenue de la Reeperbahn. Bleu turquoise et vide. Remplie seulement du bruit assourdissant d'une eau tombant en cascade, qui n'est autre que le mugissement des chutes du Niagara, enregistré sur magnétophone. Cette installation faisait partie d'une importante exposition, intitulée «Espaces d'Artistes», qui eut lieu en 1983.

Le «milieu» de St. Pauli, quartier connu dans le monde entier pour posséder la rue la plus licencieuse de la terre, serait-il en veine de culture?

Au début des années quatre-vingts, la Reeperbahn était encore un endroit peu fréquentable. L'exposition «Espaces d'Artistes», ainsi que la représentation donnée par le Schauspielhaus, alors en tournée, à la Maison de l'Opérette, située à l'extrémité de la Reeperbahn, fit l'effet d'une visite impromptue d'enfants royaux dans une famille indigente. Depuis, le quartier a profondément changé. Aujourd'hui, ce «boulevard de la débauche» s'est transformé en pavé fréquenté par les fervents de la culture. La prostitution pure et dure a été refoulée dans de rares coins de rue. La Reeperbahn offre désormais un autre genre de divertissement. Le «Schmidt», par exemple. Installé dans une ancienne salle de cinéma, ce théâtre qui n'hésite pas à appeler les choses par leur nom, a ouvert ses portes en 1988. Corny Littmann et Ernie Reinhardt y présentent des shows de travestis, des programmes de variétés, des cabarets. Tout ce qui plaît est permis.

La transformation du restaurant «Zillertal», situé à proximité, est symptomatique du changement qui s'est opéré tout au long de la Reeperbahn. Hideuse brasserie, où la bière coulait à flots autrefois, celui-ci fut réaménagé en théâtre, le «Tivoli», où sont présentés des shows. Nous ne manquerons pas de mentionner également le Musée St. Pauli où sont conservés les souvenirs de Hans Albers, mais aussi des Beatles qui acquièrent leur célébrité sur la Reeperbahn pendant les années soixante.

«Aucune ville de l'Empire allemand ne possède certainement un morceau de terre aussi riche en distractions et en curiosités que St. Pauli», écrivait-on dans un guide touristique en 1891. «Spielbudenplatz», «Place de la fête foraine», ainsi s'appelle une partie de la Reeperbahn, ce qui dit bien l'animation qui devait y régner à l'époque. Au XIXe siècle, la Spielbudenplatz était extra muros, c'est-à-dire entre la Porte de Millerntor, qui faisait partie de Hambourg, et la Porte Nobistor, sur le territoire d'Altona, portes qui, aujourd'hui, marquent encore les deux extrémités de la Reeperbahn. C'est là que vinrent se fixer tous ceux que ni les Hambourgeois ni les habitants d'Altona ne toléraient dans leur enciente. En expansion à l'époque, le port, tout proche, avait besoin de cette clientèle qui ne demandait pas mieux que de passer à l'attaque. Et, tout comme aujourd'hui, personne ne pensait alors à l'honorable tradition, perpétuée par le corps de métier qu'étaient les cordiers, les «Reeper», qui, à cet endroit, tordaient leurs cordages sur une partie longue et large de la chaussée (Bahn), ce qui lui valut son nom de Reeperbahn.

Qui, dans le passé, n'osait s'aventurer seul dans cette rue mal famée, pouvait au moins y jouer un rôle de figurant involontaire. Depuis que le film existe, le quartier de St. Pauli est, en effet, un des lieux privilégiés des cinéastes.

Des rues, telles que la Große Freiheit et la Kleine Freiheit ou la Davidstraße devinrent célèbres grâce aux films tournés avec la participation de Hans Albers. De nos jours, on se consacre plus à la musique qu'à l'amour dans la Große Freiheit, et l'endroit le plus prisé de la Davidstraße est le plus vieux restaurant italien de Hambourg, le «Cunéo». Qui, d'ailleurs, n'aime pas les spaghettis pourra toujours jouir du spectacle ambiant ou de celui d'être vu, dans l'atmosphère enfumée et aux senteurs d'ail de ce restaurant, tenu entretemps par la troisième génération de la famille Cunéo.

Le bâtiment de briques rouges, assorti d'un superbe pignon, qui se dresse à l'entrée de la Davidstraße et semble être une honorable maison bourgeoise, n'est autre que le commissariat de police Davidswache, construit en 1913/14 selon les plans de Fritz Schumacher. Il ne se passe pas une nuit sans que les policiers qui y sont de service soient débordés de travail. En effet, les gens du «milieu» ne se sont pas transformés, eux, en enfants de chœur. Ce «repaire» de noctambules a conservé ses mœurs rudes ou polissonnes et est resté un quartier interlope, plutôt «chaud». Qui y regarde de plus près, ne peut ignorer que les recoins sombres sont aussi le théâtre du commerce de la drogue.

Les gangsters de St. Pauli, petits et grands, continuent de défrayer la chronique. Tout autour de la Reeperbahn, une coexistence s'est instaurée, dans la lutte pour la vie, entre petites gens et gens de bien, entre pauvres et riches, gagnants et perdants. Parmi les 35 000 habitants, 18 000 sont étrangers, une proportion inégalée en Allemagne. Le matin, à l'heure où l'on va chercher ses petits pains, le «Kiez», comme on l'appelle ici, a des airs de quartier petit-bourgeois et pantouflard. La nuit, St. Pauli est une belle, maquillée à l'excès, polyglotte et qui sent la frite.

Zu einem Reeperbahnbummel gehört unbedingt ein Abstecher in die Große Freiheit. Die kleine Straße mit ihren Cabarets und Musikschuppen wurde durch die Filme mit Hans Albers in aller Welt zur Legende.

A stroll round the Reeperbahn simply must take in the Grosse Freiheit, a side street lined with cabarets and music halls that was made world-famous in films starring Hans Albers.

Lors d'une promenade sur la Reeper-bahn, un détour jusqu'à la «Grosse Freiheit» s'impose. Cette petite rue avec ses cabarets et ses boîtes de nuit est devenue légendaire dans le monde entier, grâce aux films tournés avec Hans Albers.

Das kleine Mädchen hat auf dem Dom das große Los gezogen: einen fleckigen Plüschhund so groß wie die Kleine selber. Wer die turbulente Kirmes in Nachbarschaft der Reeperbahn still genießen will, kann sich mit den Gondeln des Riesenrads in den Himmel tragen lassen.

This little girl has won first prize in a lottery on the Dom, a funfair within easy walking distance of the Reeperbahn. And off she goes, with a plush puppy the same size as she is. If you would prefer peace and quiet to the rumbustious fun of the fair, why not take a trip on the ferris wheel and get away from it all?

La petite fille, au Dom, a gagné le gros lot: un chien en peluche moucheté aussi grand qu'elle. Celui qui souhaite apprécier dans le calme cette fête foraine installée à proximité de la Reeperbahn peut se laisser emporter vers le ciel, assis dans une gondole de la grande roue.

Es gibt Orte, da wird die Sehnsucht nach etwas, was passé ist, ganz groß. Wer regelmäßig die Elbchaussee befährt, träumt immer mal wieder von der autolosen Zeit. Es ist ja noch gar nicht so lange her, daß Hamburgs schönste Straße ein Sandweg war, auf dem die wohlhabenden Kaufleute der Hansestadt mit Pferd und Kutsche zu ihren herrlichen Sommervillen und noch herrlicheren Parks längs der Elbe 'rausfuhren. Den Ausbau zu einer vierspurigen Rennstrecke konnten die einflußreichen Anwohner der Chaussee in den sechziger Jahren verhindern. Die von alten Bäumen in traditionsreichen Parkanlagen gesäumten Schwingungen der Stadt blieben erhalten. Aber die Autos... Sehen wir davon ab und schwärmen! Der Auftakt ist besinnlich. Am Anfang der Elbchaussee in Altona ist im Schatten der Christianskirche der Dichter Klopstock begraben. Seinem Trauerzug folgte 1803 „die halbe Stadt", wie die Chronisten berichten. Heinrich Heine hat an diesem Grab gestanden und Peter Rühmkorf. Dichterkollegen, deren Werke wahrlich häufiger gelesen werden als die von Klopstock. Aber er war dafür zeitlebens hochgeehrt in Hamburg. Er hatte das Glück, die wohl größte kulturelle Blütezeit der Hansestadt um 1800 zu erleben, als die Kaufleute sich noch, Gedichte rezitierend, an Alster und Elbe ergingen.

Das war auch die Zeit, in der die berühmtesten Sommervillen am hohen Ufer der Elbe entstanden. Und ihre Parks. Bei der Anglophilie der Hamburger Gesellschaft war es nur natürlich, daß diese Gärten im englischen Stil angelegt wurden. Wer sie, der Elbchaussee folgend, durchwandert, sich nicht verlocken läßt, die Himmelsleiter zum alten Fischer- und Walfängerort Övelgönne hinabzusteigen, dem entgeht eine Attraktion. Denn auf Altona folgt eine Kette von Orten gehobener bürgerlicher Wohnkultur, wie es sie so schön und nobel sonst nirgendwo auf der Erde gibt. Othmarschen, Klein Flottbek, Nienstedten Hochkamp, Blankenese. Dort zu wohnen – davon kann man schon träumen.

Bei Teufelsbrück liegt die Elbchaussee so niedrig, daß sie bei Sturmflut sofort vom Fluß vereinnahmt wird. Bei Teufelsbrück beginnt auch der Jenisch-Park, der vielleicht schönste Park von allen. Im Herrenhaus, das der Hamburger Senator Jenisch 1831 – 1834 an exklusiver Stelle, das heißt, mit bestem Blick auf die Elbe errichten ließ, kann heute die großbürgerliche Wohnkultur des 19. Jahrhunderts besichtigt werden. Jenisch war nicht der Gründer der Parkanlage. Das war Caspar Baron Voght (1752 – 1839). Der aufklärerische, liberale, kultivierte und weitgereiste Kaufmann, der hier auf fünf ehemaligen Bauernhöfen seine „ornamented farm" verwirklichte, war einer der bemerkenswerten Persönlichkeiten, die Hamburg zu seiner Zeit hatte. Er ließ Orchideen anbauen und Kartoffeln. Die Knollen, die bald zum Volksnahrungsmittel wurden, waren bis dahin unbekannt gewesen.

In der Nachbarschaft der Jenisch-Villa erinnert ein modernes Atriumhaus an den Dichter und Bildhauer Ernst Barlach.

Auf ein Doppeltalent stößt man auch im „zweitschönsten" Park an der Elbe – eine Wertung die jeder für sich bestimmen wird. Im Hirschpark, am Reetdachhaus „Witthüs Teestuben" ist eine Büste und eine Tafel angebracht: „Hier lebte Hans Henny Jahnn, Dichter, Orgelbauer, Forscher 1894 – 1959". Wie bei Barlach gibt es auch bei Jahnn ein hochherrschaftliches Pendant: das Godeffroyhaus. Es wurde 1792 von der gleichnamigen Hamburger Reederfamilie bezogen. Gebaut wurde es von dem berühmten dänischen Architekten Christian Frederik Hansen, der auch die Altonaer Palmaille gestaltet hatte.

Nun liegt nach Westen nur noch ein Park, der Baurs Park – wohl der verschwiegendste von allen –, in dem der Spaziergänger das Ambiente der Elbchaussee und eine völlig überraschende Hamburger Köstlichkeit des Wohnens und Flanierens erleben kann: Wie eine Muschel breitet sich das Treppenviertel von Blankenese am Hang aus. Es würde niemanden überraschen, dieses steile Labyrinth mit südlichem Flair irgendwo am Mittelmeer anzutreffen. Aber hier? Das Dorf – inzwischen ein Konglomerat aus winzigen Reetdachhäusern, alten Nobelvillen und nicht selten ziemlich verunglückten Neubauten – wurde einmal von Fischern gegründet. Um die Jahrhundertwende war es beliebte Sommerfrische. Heute hat Blankenese sommers wie winters Konjunktur. Auf den Terrassen von „Sagebiel" und auf dem 76 Meter hohen Süllberg geht der Blick bei Kaffee und Kuchen ozeanisch weit übers Wasser nach Westen. Die „Schollenmeile" am Strand, eine Kette feiner oder uriger Restaurants, ist gut für die Nahsicht auf die Schiffe, die mit Ebbe und Flut kommen und gehen. Spätabends gehört Blankenese dann wieder den Blankenesern. Denn so gegen elf werden „die Bürgersteige hochgeklappt". Gute Nacht, Marie: Dann ist es im autolosen Treppenviertel so still, wie man es sich an der nahen Elbchaussee immer erträumt. So still, daß man glaubt, das Glitzern der Mondbahn auf der hier drei Kilometer breiten Elbe hören zu können. Wie leises Silbergeklingel. Und unromantische Menschen sagen dann: „Da schwimmt das Geld der vielen reichen Leute von Hamburg."

There are places where you are overwhelmed by a yearning for times past. People who regularly drive along Hamburg's Elbchaussee regularly have visions of the days before there were motor-cars. It isn't all that long since the city's finest thoroughfare was a sandtrack along which merchants drove by horse and carriage to their magnificent summer residences and their even more magnificent parks by the Elbe. Influential residents succeeded in the 1960s in scuppering a scheme to widen the road into a four-lane clearway. The road is still lined by tall trees as it meanders past fine old parkland, but the cars continue to be a problem...

So let's disregard them and turn back the pages of history. Starting on a contemplative note, the poet Klopstock lies buried in the shade of the Christianskirche in Altona, at the beginning of Elbchaussee. His funeral in 1803 is said by chroniclers to have been attended by "half the city". Heinrich Heine stood at his grave, as did Peter Rühmkorf. They are fellow-poets whose work is definitely more widely read than Klopstock's, but he was held in high regard all his life in Hamburg. He was lucky to have been a contemporary of what must have been the city's cultural heyday, the period around 1800 when hard-headed merchants thrilled as they recited poems to each other.

Those were the days when the best-known summer residences were built – and parks were laid – on the hillcrest overlooking the Elbe. Given the Anglophilia of Hamburg society, it was only natural for the gardens to be laid out in the English style. Walk along Elbchaussee and you will miss an attraction if you resist the urge to slip down the street named Himmelsleiter, or ladder to heaven, and take a look at Övelgönne, an old fishermen's and whalers' village. Altona is followed by a succession of highclass residential areas that are arguably without equal anywhere in the world. Othmarschen, Klein Flottbek, Nienstedten, Hochkamp and Blankenese. All are places that are well worth dreaming about living in.

At Teufelsbrück the road is so low that at flood tides it is promptly reclaimed by the river. This is where the Jenisch-Park, maybe the finest of them all, begins. In the manor house Senator Jenisch had built on an exclusive spot, with a fine view of the Elbe, between 1831 and 1834 you can now admire upper middle-class 19th century furnishing and interiors. But Jenisch didn't lay out the park. That was one of Caspar Voght's claims to fame. Baron Voght, 1752-1839, was an enlightened, liberal, urbane and widely-travelled merchant who here laid out an ornamental farm on the site of five former farms. He was one of the most striking Hamburg personalities of his day. He introduced orchids and potatoes. The latter, previously unknown, were soon to become a popular dietary staple.

An atrium house of modern design near the Jenisch villa recalls the poet and sculptor Ernst Barlach.

Another twofold talent is encountered in the "second-finest" park on the Elbe – though which is which is for the individual to decide. In the Hirschpark, by the thatched Witthüs teahouse, there is a bust and a plaque with the legend: "Hans Henny Jahnn, poet, organ-builder, researcher, 1894-1959, lived here." As in Barlach's case there is a nearby manor house, the Godeffroyhaus. It was built by the Hamburg shipowner for his family in 1792 and designed by the famous Danish architect Christian Frederik Hansen, the man who laid out and designed the houses on Palmaille in Altona.

There is now only one park left to the west, Baurs Park, probably the most secluded of them all. Here the pedestrian will be particularly appreciative of the Elbchaussee atmosphere – and taken aback by a totally unexpected jewel of living and walking in Hamburg. The "Treppenviertel", clinging to the Blankenese hillside and overlooking the Elbe, is here seen to open up like a clamshell. No-one would be surprised to come across this steep maze of footpaths and steps, with its southern flair, somewhere in the Mediterranean. But here? The village – now a conglomerate of tiny thatched cottages, fine old villas and far from infrequent modern housing designs that were a failure – was founded by fishermen. At the turn of the century it was a popular summer resort. Blankenese today is in season in summer and winter alike. As you take coffee and cakes on the terrace at Sagebiel, atop Süllberg's 79 metres (259 ft), you majestically survey the water to the west. The waterfront down below, with its succession of fish restaurants serving fresh fried plaice, is good for a closer scrutiny of the ships that sail in and out on the tide.

In the evening Blankenese is reclaimed by the locals. It's lights out at around 11 p.m. and along the footpaths of the "Treppenviertel" it is as quiet as one always wished it were on the nearby Elbchaussee. So quiet that you can almost hear the glitter of the moonlight on the surface of the Elbe, which is 3 kilometres (2 miles) wide at this point. It sounds like tiny silver bells. Unromantic people then say: "That can only be the sound of the many rich Hamburg people's money afloat in the river."

Il est des endroits où la nostalgie des temps passés a des accents particuliers. Celui qui passe régulièrement en voiture par l'Elbchaussée, ne peut s'empêcher de rêver, de temps à autre, à l'époque où la voiture n'existait pas. Il n'y a pas très longtemps encore, la plus belle chaussée de Hambourg était un simple chemin sablonneux que les riches marchands de la Ville Hanséatique empruntaient pour se rendre, à cheval ou en calèche, dans leurs splendides résidences d'été, longeant des parcs non moins superbes, en bordure de l'Elbe. Au cours des années soixante, d'influents riverains réussirent à empêcher l'aménagement de l'Elbchaussée en une piste à quatre voies pour courses automobiles. Les sinuosités de la chaussée, bordée d'arbres centenaires peuplant des parcs chargés de tradition, furent préservées de l'alignement. Mais les voitures …

Ignorons-les et laissons-nous aller à l'extase. Les abords invitent à la méditation. Le poète Klopstock est enterré à Altona, à l'ombre de l'église Christianskirche, située à l'entrée de l'Elbchaussée. Le convoi funèbre fut suivi, en 1803, par la «moitié de la ville», ainsi que le rapportent les chroniciers de l'époque. Heinrich Heine vint se recueillir sur sa tombe, de même que Peter Rühmkorf, poètes dont les œuvres sont, il faut bien le dire, plus souvent lues que celles de Klopstock. En revanche, lui, fut vénéré de son vivant. Il eut la chance de vivre à l'époque de l'apogée culturelle que connut la Ville Hanséatique aux alentours de 1800. Celle, où les marchands se promenaient le long de l'Elbe et de l'Alster en récitant des poèmes.

C'était aussi le temps où les plus célèbres parmi les résidences d'été furent construites sur la rive surplombant l'Elbe. Ainsi d'ailleurs que leurs parcs. Vu l'anglophilie de la société hambourgeoise, on ne s'étonnera donc pas que ces parcs aient été aménagés à l'anglaise. Celui qui les traverse en suivant l'Elbchaussée et résiste à la tentation de prendre «l'Echelle céleste» pour rejoindre Övelgönne, ancien village de pêcheurs et de baleiniers, se prive d'une attraction tout à fait particulière. Car, à Altona, succède un chapelet de quartiers résidentiels, témoignant de l'art de vivre de la haute bourgeoisie, d'une beauté et d'une élégance telles qu'on ne les retrouve nulle part ailleurs dans le monde: Othmarschen, Klein Flottbek, Nienstedten, Hochkamp, Blankenese. L'idée d'y habiter fait rêver.

A Teufelsbrück, la chaussée est si basse qu'elle est immédiatement investie par les eaux lorsqu'un raz de marée se produit. C'est également là que s'ouvre le Jenisch-Park, le plus beau de tous, peut-être. Dans la demeure que le sénateur hambourgeois Jenisch fit construire en 1831–1834, en cet endroit où la vue sur l'Elbe est imprenable, on peut admirer aujourd'hui l'art de vivre de la haute bourgeoisie du XIXe siècle. La conception du parc n'est pas due à Jenisch lui-même, elle est l'œuvre de Caspar Baron Voght (1752–1839). Ce commerçant à l'esprit rationaliste et libéral, homme cultivé qui avait parcouru de nombreux pays et réalisa son «ornamented farm» sur l'ancien emplacement de cinq bâtiments de ferme, fut l'une des personnalités les plus remarquables que connut Hambourg à l'époque. Il fit planter des orchidées et des pommes de terre. Ces bulbes, qui devinrent peu après aliments de base du peuple, étaient inconnus auparavant.

Une maison en forme d'atrium et de style moderne fut construite dans le voisinage de la Villa Jenisch à la mémoire du poète et sculpteur, Ernst Barlach. Un autre parc, le second en beauté – les avis sont partagés sur ce point – recèle également un artiste au double talent. Dans le Hirschpark, le Parc des Cerfs, un buste et une plaque commémorative sont, en effet, apposés au mur des Witthüs Teestuben, une maison au toit de chaume. «Ici vécut, de 1894 à 1959, Hans Henny Jahnn, poète, facteur d'orgues, chercheur».

Tout comme dans le premier parc, on trouve ici une splendide demeure: la maison Godeffroy. La famille d'armateurs hambourgeois du même nom y emménagea en 1792. Le célèbre architecte danois, Christian Frederik Hansen, à qui l'on doit également la Palmaille, à Altona, en est le constructeur. A l'ouest, s'étend un dernier parc, le plus secret de tous, où le promeneur découvre avec délices le charme de l'Elbchaussée, en même temps qu'un aspect tout à fait surprenant de l'habitat local et de la façon dont aiment flâner les Hambourgeois. Semblable à une coquille, le «Quartier des Escaliers» de Blankenese se love au flanc de la colline. Personne ne s'étonnerait de découvrir ce labyrinthe escarpé, à l'atmosphère si méridionale, quelque part, sur les bords de la Méditerranée. Mais là? Ce village, devenu entretemps un mélange hétéroclite de maisonnettes coiffées de chaume, d'anciennes et nobles demeures et – ce qui n'est pas rare – de nouvelles constructions fort peu réussies – fut fondé jadis par des pêcheurs. C'était, vers le tournant du siècle, un lieu de villégiature très prisé. Aujourd'hui, Blankenese ne se départit jamais de son animation, ni en été, ni en hiver. Du haut de la terrasse du restaurant Sagebiel ou de la colline du Süllberg, surplombant l'Elbe de 76 mètres, le spectateur peut promener ses regards par-delà l'océan du fleuve, au loin vers l'Ouest, tandis qu'il savoure café et gâteaux. Les restaurants, élégants ou simplement rustiques, bordant le fleuve en un long chapelet, appelé ici «la route des plies», permettent d'observer de plus près les allées et venues des bateaux entrant et sortant avec le flux et le reflux.

Tard le soir, Blankenese est rendu à ses habitants. Vers onze heures, en effet, «on relève les trottoirs». Le Quartier des Escaliers, où ne circule aucune voiture, est alors d'un calme dont on ne saurait que rêver lorsqu'on habite l'Elbchaussée toute proche. Un calme si profond même, que l'on croirait «entendre» le scintillement de la lune à la surface de l'Elbe, large de trois kilomètres à cet endroit. Comme le tintement de pièces d'argent. Et les âmes peu romantiques de dire: «C'est l'argent des nombreux riches de Hambourg qui vogue au fil de l'eau …»

Im Fischer- und Lotsendorf Övelgönne bei Altona an der Elbe wurde
früher Tran gekocht. Das Fett der
Wale stank scheußlich. Heute werden
die „Tranfunzeln", die den Besuchern
der jetzigen Wohn- und Kneipenidylle
heimleuchten, elektrisch bedient. Es
duftet nach Garten und ein bißchen
streng nach Industriestrom.

In Övelgönne, a village of fishermen
and ship's pilots on the Elbe near
Altona, they used to boil whale oil.
The blubber had an awful smell. The
traditional oil lamps that are such an
attractive feature of this idyllic
riverside village, with its cottages and
restaurants, are nowadays powered by
electricity. What wafts through the air
is the smell of gardens and a working
river.

Jadis, dans le village de pêcheurs et de
lamaneurs d'Övelgönne, près d'Altona au bord de l'Elbe, on faisait
bouillir de l'huile de baleine. La
graisse de cétacé dégageait des éma-
nations pestilentielles. Aujourd'hui
les anciens lumignons à l'huile de
baleine fonctionnent à l'électricité et
éclairent le retour du public venu
visiter cette idylle où se cotoient
habitations et troquets. Des jardins
montent des effluves parfumées
auxquelles se mêlent les odeurs
fortes du fleuve.

Der Jenischpark bei Teufelsbrück ist eine der grünen Perlen, die mit den Sommervillen reicher hanseatischer Kaufleute seit der zweiten Hälfte des 18. Jahrhunderts an der Elbchaussee entstanden. Im Jenischhaus kann großbürgerliche Wohnkultur besichtigt werden. Rechts im Park versteckt sich der noble Atriumbau, in dem Werke von Ernst Barlach ausgestellt sind.

Jenischpark, near Teufelsbrück, is part of a green belt of estates where rich Hamburg merchants built country homes where they spent the summer in the second half of the 18th century. Upper middle-class lifestyle can be admired in the Jenischhaus, while to the right, hidden in the park, is an atrium buiding where works by Ernst Barlach are on show.

Le Jenischpark, près de Teufelsbrück, compte parmi les perles de verdure apparues, depuis la seconde moitié du XVIII siècle, en bordure de l'Elbchaussee, avec les demeures d'été des riches négociants hanséatiques. Dans la Jenischhaus on peut admirer un bel intérieur bourgeois. A droite, le parc renferme le sobre atrium dans lequel sont exposées certains œuvres de Ernst Barlach.

Das bäuerliche Reetdachgebäude
gehörte früher zum dahinterliegen-
den Herrenhaus der Reeder Godeffroy.
Bis zu seinem Tode 1959 wohnte hier
der Schriftsteller und Orgelbauer
Hans Henny Jahnn. Heute kann es
sich jeder am selben Ort in „Witthüs
Teestuben" gemütlich machen.

This thatched farmhouse used to be
an outbuilding of the country house
to the rear, which was built by the
Godeffroys, a shipowning family. The
writer and organ-builder Hans Henny
Jahnn lived here until his death in
1959. It is now a snug tea house, the
"Witthüs Teestuben".

Ce bâtiment coiffé de chaume faisait
autrefois partie de la maison de
maître, située en retrait, de
l'armateur Godeffroy. Ici vécu
jusqu'à sa mort en 1959 l'écrivain et
facteur d'orgues Hans Henny Jahnn. A
ce même endroit, tout un chacun
peut goûter aujourd'hui la douceur
de vivre dans le salon de thé «Witthüs
Teestuben».

In „Sagebiels Fährhaus" übernachte-
ten früher die Knechte, die Ochsen
aus Holstein nach Bremen brachten.
Heute ist das Haus Restaurant, und
von der Terrasse aus kann man die
Fähre nach England vorbeiziehen
sehen.

Sagebiels Fährhaus used to be a
staging post where farmhands slept as
they drove cattle from Holstein to
Bremen. It is now a restaurant. From
the terrace you can watch the ferry to
and from Harwich sail by along the
Elbe.

Jadis, les domestiques qui
conduisaient des bœufs du Schleswig-
Holstein à Brême dormaient dans la
maison du «passeur de Sagebiel».
Aujourd'hui cette maison abrite un
restaurant et, de sa terrasse, on peut
voir passer les ferries en partance
pour l'Angleterre.

Das Treppenviertel von Blankenese
liegt wie eine bunte Muschel am
Hang. Auf dem Turm des 75 Meter
hohen Süllberges flattert Hamburgs
rote Fahne. Von der Terrasse des Süll-
bergrestaurants aus geht der Blick
weit über die Elbinseln Schweinesand
und Neßsand ins Alte Land.

The Treppenviertel in Blankenese
consists of houses clustered on the
hillside that can only be reached via
steep footpaths, with steps at regular
intervals. The red Hamburg flag flies
from the top of Süllberg tower, 75
metres (246 ft) above sea-level. From
the terrace of the Süllberg restaurant
you will enjoy the view of the Elbe,
the islands of Schweinesand and Neßsand, and the Altes Land on the far
side of the river.

Les escaliers de Blankenese présentent
la forme d'un coquillage diapré
s'accrochant au flanc de la colline.
Sur la tour du mont Süllberg, haut de
75 m, le drapeau de Hambourg flotte
au vent. Depuis la terrasse du restaurant de Süllberg, la vue s'étend bien
au-delà des îles de l'Elbe, Schweinesand et Neßsand, jusqu'au «Altes
Land».

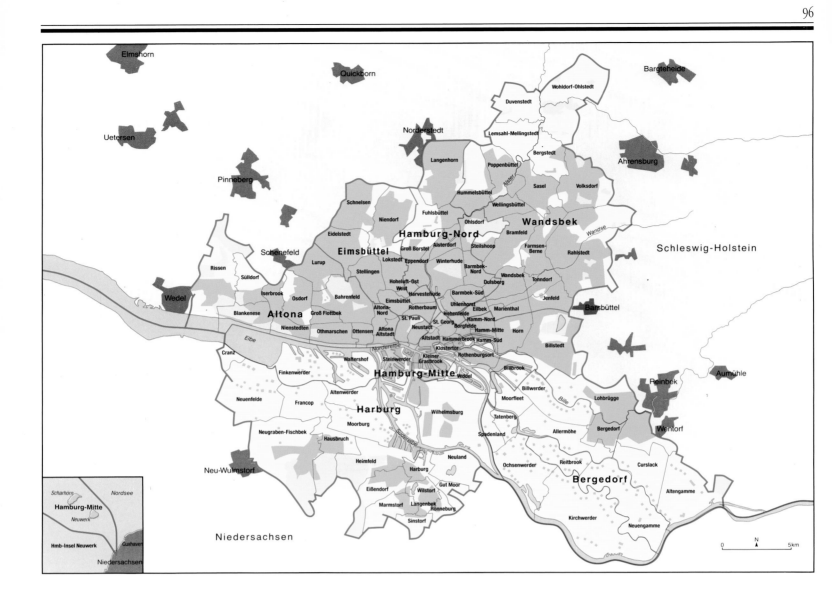

Elmshorn

Quickborn

Bargteheide

Uetersen

Wohldorf-Ohlstedt

Duvenstedt

Norderstedt

Lemsahl-Mellingstedt

Ahrensburg

Pinneberg

Langenhorn

Bergstedt

Poppenbüttel

Schnelsen

Fuhlsbüttel

Hummelsbüttel

Sasel

Volksdorf

Niendorf

Ohlsdorf

Wellingsbüttel

Schleswig-Holstein

Schenefeld

Eidelstedt

Hamburg-Nord

Alsterdorf

Bramfeld

Wandsbek

Rissen

Eimsbüttel

Groß Borstel

Steilshoop

Farmsen-Berne

Rahlstedt

Lurup

Lokstedt

Eppendorf

Winterhude

Barmbek-Nord

Sülldorf

Stellingen

Hoheluft-Ost
West

Dulsberg

Wandsbek

Tonndorf

Iserbrook

Osdorf

Bahrenfeld

Harvestehude

Barmbek-Süd

Jenfeld

Wedel

Blankenese

Groß Flottbek

Eimsbüttel

Altona-Nord

Rotherbaum

Uhlenhorst

Marienthal

Barsbüttel

Altona

Nienstedten

Othmarschen

Ottensen

Altona
Altstadt

St. Pauli

St. Georg

Hohenfelde

Hamm-Nord

Horn

Neustadt

Borgfelde

Hamm-Mitte

Elbe

Cranz

Altstadt

Klostertor

Hammerbrook

Hamm-Süd

Billstedt

Norderelbe

Waltershof

Steinwerder

Kleiner
Grasbrook

Rothenburgsort

Aumühle

Finkenwerder

Hamburg-Mitte

Veddel

Billbrook

Reinbek

Altenwerder

Billwerder

Neuenfelde

Francop

Harburg

Wilhelmsburg

Moorfleet

Lohbrügge

Bergedorf

Wentorf

Süderelbe

Tatenberg

Bille

Moorburg

Spadenland

Allermöhe

Neugraben-Fischbek

Hausbruch

Neuland

Ochsenwerder

Reitbrook

Curslack

Neu-Wulmstorf

Heimfeld

Harburg

Bergedorf

Altengamme

Eißendorf

Wilstorf

Gut Moor

Kirchwerder

Neuengamme

Marmstorf

Langenbek

Rönneburg

Niedersachsen

Sinstorf

N

0   5km

Scharhörn

Nordsee

Hamburg-Mitte

Neuwerk

Hmb-Insel Neuwerk

Cuxhaven

Niedersachsen